Aimer *la* CUISINE *de* FRANCHE-COMTÉ

MARC FAIVRE

A mes grands-parents,
A mes parents,
A Catherine, sans qui ce livre ne serait pas,
A Elisa et Léa.

Photographies
Didier Benaouda

Les recettes ont été réalisées par Marc Faivre,
Restaurant *Le Bon Accueil,*
à Malbuisson, Lac Saint-Point

ÉDITIONS OUEST-FRANCE
13, rue du Breil - Rennes

(Photo H. Hughes)

Sommaire

Introduction

Mes premiers bonheurs gourmands, c'est le brochet fraîchement pêché par mon grand-père, simplement cuit au four avec du beurre et de l'estragon, c'est encore la daube de cochon mijotée par ma grand-mère au coin de la cuisinière. Ces saveurs simples et belles, je les ai encore en bouche comme si c'était hier… Peut-être est-ce pour les retrouver que m'est venue ma vocation de cuisinier… Peut-être sont-elles à l'origine de mon attachement à mes racines familiales, à ma terre, à ma maison…

Soyons clair : la Franche-Comté n'a pas la réputation gastronomique de la Bourgogne ou de la Normandie. Mais elle a toujours eu une vraie cuisine, avec, pour bases, le gibier des forêts, le fromage des alpages, le poisson des rivières et des lacs, la charcuterie fumée dans les « tuyés ». Une cuisine de ménage, saine, robuste, goûteuse, que l'on aime partager…

(Photo H. Hughes)

Nous sommes tous dépositaires de ce savoir culinaire ancestral. A notre génération revient de le transcender, de l'adapter à des goûts en perpétuelle évolution.

Aujourd'hui, grâce à d'exceptionnels atouts naturels, la gastronomie franc-comtoise est née.

Elle peut jouer sans complexes sa partition dans la haute cuisine française…

« Tous au travail. C'est que nous voudrions voir notre région de montagnes jurassiques, région à laquelle nous sommes si intimement attachés, bénéficier de l'épanouissement complet de toutes ses richesses naturelles. » (Extrait du livre « Notre montagne », éditions Faivre-Vernay à Pontarlier, 1933, écrit par mon arrière-grand-père, Julien Lonchamp.)

Pour l'apéritif

Gougères au comté

12,5 cl de lait
12,5 cl d'eau
100 g de beurre
1/2 cuillère à café de sel fin
140 g de farine
5 œufs
60 g de comté râpé

- Mettre l'eau, le lait, le beurre et le sel fin dans une casserole. Porter à ébullition. Ajouter la farine.
- Remuer énergiquement avec une spatule en bois jusqu'à l'obtention d'une pâte très homogène. Incorporer hors du feu les œufs un à un.
- Ajouter le comté râpé, quelques tours de moulin à poivre. A l'aide d'une poche à douille sur une plaque beurrée, faire des petites boules de 2 cm de diamètre, les écraser légèrement avec une fourchette trempée dans de l'œuf battu.
- Cuire 8 min environ thermostat 6.

Bricelets au comté

10 cl de crème
15 cl de vin blanc
80 g de sucre
2 cl de kirsch
125 g de farine
50 g de comté râpé

- Fouetter légèrement la crème. Ajouter le vin, le sucre, le kirsch et faire mousser. Incorporer la farine.
- Laisser reposer 1 à 2 h. Chauffer le fer à bricelets. Ajouter le comté râpé dans la pâte. Etaler au centre du fer une cuillère à café de pâte.
- Cuire et servir avec l'apéritif.

Brochettes franc-comtoises

Quantité selon
le nombre de convives

- Sur une pique en bois, disposer une tranche de radis de 1 cm d'épaisseur, un cube de comté et le quart d'une tranche de saucisse de Morteau cuite de 1 cm d'épaisseur également.
- Servir avec un bol de mayonnaise aux herbes où chacun trempera sa brochette. Cette mise en bouche est facile à réaliser et agréable à déguster.

Gougères au comté

Paillettes au comté

Paillettes au comté

- Étendre le feuilletage en forme de rectangle de 20 à 25 cm de large et 3 mm d'épaisseur.
- Battre l'œuf pour la dorure. A l'aide d'un pinceau passer la dorure sur une face du rectangle. Saupoudrer la moitié du comté râpé. Retourner et traiter la deuxième face.
- Faire raffermir la pâte au réfrigérateur 20 min. Tailler des bandelettes de 5 mm.
- Disposer sur une plaque et cuire 10 à 12 min au four à thermostat 8/9. Au coin du feu qui crépite, servir un crémant du jura blanc de Rolet.

200 g de feuilletage
60 g de comté râpé
1 œuf
50 g de farine pour étaler le feuilletage

Pomme de terre coulante de cancoillotte

- Couper des tronçons de pommes de terre (3 cm de diamètre et 3 cm de haut). Les évider à l'aide d'une cuillère à pommes noisettes.
- Cuire à l'eau salée 2 à 3 min. La cuisson doit rester assez ferme pour la tenue.
- Une fois cuites, remplir les pommes de terre avec la cancoillotte et servir. Celle-ci peut être remplacée par du mont-d'or extrêmement coulant.

Pomme de terre coulante de cancoillotte

Galette de Gaudes

- Dans le bol d'un mixer, monter les blancs d'œufs pendant 3 min. Tout en mixant, ajouter la farine de Gaudes, le beurre fondu et le sel.
- Laisser reposer 30 min au réfrigérateur. Sur une plaque antiadhésive, étaler la pâte en formant un disque de 6 à 7 cm de diamètre.
- Cuire 5 à 6 min à thermostat 6-7. Les galettes vont prendre une belle couleur dorée.

50 g de blancs d'œufs
50 g de farine de Gaudes
30 g de beurre fondu froid
Sel

GÂTEAU DE MÉNAGE AU FROMAGE

PÂTE : 500 G DE FARINE
6 ŒUFS
20 G DE LEVURE BOULANGÈRE
10 G DE SEL
5 CL D'EAU
200 G DE BEURRE RAMOLLI
50 G DE SAINDOUX
FROYURE : 4 JAUNES
20 CL DE LAIT
20 CL DE CRÈME ÉPAISSE
100 G DE COMTÉ RÂPÉ

• Mettre dans la cuve d'un robot équipé d'un crochet les œufs, la levure émiettée. Faire tourner à grande vitesse quelques secondes.
• Ajouter la farine et le sel à vitesse moyenne ainsi que l'eau. Lorsque la pâte se décolle de la cuve, ajouter le beurre et le saindoux. Continuer de faire tourner jusqu'à ce que la pâte se détache à nouveau.
• Laisser reposer environ 2 h à température ambiante. La pâte va doubler de volume. Ecraser la pâte et la diviser en quatre. Etendre dans des tôles en relevant les bords.
• En attendant que la pâte lève (30 min environ), mélanger les ingrédients de la froyure avec les deux tiers du comté. Verser la froyure et le tiers restant du comté sur les gâteaux. Cuisson 20 à 30 min thermostat 6.

Gâteau de ménage au fromage

Les Soupes

Soupe au fromage

Pour 6 personnes

500 g d'oignons
1,5 l d'eau
100 g de beurre
200 g de comté râpé
6 tranches de pain grillé
Sel et poivre

- Emincer les oignons, les faire suer dans une casserole avec le beurre jusqu'à bonne coloration. Ajouter l'eau bouillante.
- Assaisonner de sel et poivre. Cuire une bonne demi-heure.
- Servir dans une soupière en intercalant le pain, le comté râpé et verser le bouillon dessus.

Soupe paysanne au lard fumé

Pour 8 personnes

1 gros poireau
300 g de pommes de terre
150 g de carottes
100 g de chou vert
1 branche de céleri
1 oignon
3 gousses d'ail
200 g de lardons fumés
100 g de beurre
Gros sel
Herbes du jardin

- Eplucher et laver les légumes. Emincer l'oignon et le poireau. Tailler en paysanne les autres légumes (tranches de 4 à 5 mm d'épaisseur).
- Dans un faitout, faire fondre le beurre et faire revenir les lardons et l'oignon. Mouiller avec 2,5 l d'eau. Ajouter le restant des légumes, le gros sel et cuire 1 h environ.
- Servir très chaud avec les herbes fraîchement ciselées. Certains se coupent un morceau de comté et d'autres versent un peu de vin rouge dans leur assiette.

Soupe de Gaudes

Pour 4 personnes

250 g de farine de Gaudes (maïs grillé)
100 g de beurre
5 cl de lait ou 3 dl de crème
Sel, poivre

- Dans une casserole, mélanger la farine avec 1,5 l d'eau froide, éviter les grumeaux.
- Faire cuire à feu doux une bonne heure en remuant sans cesse jusqu'à obtenir une soupe un peu épaisse, bien racler le fond de la casserole. Assaisonner.
- En fin de cuisson, ajouter le beurre. Servir dans des assiettes creuses. Chaque convive fait un trou au milieu de sa soupe pour y verser du lait ou de la crème selon son goût.

Soupe à l'oseille

Pour 8 personnes

400 g d'oseille
1 poireau
60 g de beurre
2,5 l de bouillon gras ou à défaut bouillon de légumes
1,2 kg de pommes de terre
25 cl de crème
Sel et poivre

- Nettoyer l'oseille, retirer les queues. Emincer le poireau et le laver.
- Eplucher, laver et couper en gros cubes les pommes de terre.
- Dans un faitout, rissoler le poireau et l'oseille avec le beurre. Faire mijoter 5 à 6 min. Ajouter le bouillon gras et les pommes de terre. Assaisonner en fonction du bouillon.
- Cuire 1 h à couvert. Mixer ou passer au moulin à légumes. Ajouter la crème et servir.

Soupe aux pois

Soupe aux pois

Pour 8 personnes

200 g de pois cassés
100 g de lard fumé
1 petite saucisse de Morteau
1 oignon
1 poireau
4 gousses d'ail
40 g de beurre
25 cl de crème fraîche
Sel, poivre

- La veille, faire tremper les pois dans l'eau froide.
- Emincer l'oignon, le poireau, faire suer avec le beurre dans un faitout. Ajouter les pois bien rincés. Mouiller avec 2 litres d'eau froide.
- Ajouter le morceau de lard entier, la saucisse de Morteau et l'ail écrasé. Cuire environ 1 h 15. Réserver le lard et la saucisse avant la fin de la cuisson. Mixer, vérifier l'assaisonnement. Ajouter la crème.
- Servir dans une soupière avec des morceaux de lard et de saucisse de Morteau. Des petits croûtons dorés au beurre sont aussi les bienvenus.

Soupe à l'oseille

Crème de courge au comté

Crème de courge au comté

Pour 8 personnes

2 kg de courge muscade épluchée
1 poireau
80 g de beurre
1 l de lait
50 cl de crème
1 cuillère de miel de sapin
150 g de comté en lamelles
Sel, poivre
Muscade

- Couper la courge en gros cubes. Emincer le poireau et le laver. Faire suer les poireaux au beurre. Ajouter la courge et remuer.
- Mouiller avec le lait et la crème. Assaisonner et cuire 45 min environ. Mixer ou passer au moulin à légumes.
- Mettre la cuillère de miel, un peu de muscade et vérifier l'assaisonnement.
- Servir très chaud. Ajouter les lamelles de comté et un peu de crème fraîche, éventuellement des croûtons.

Soupe aux lentilles

Pour 8 personnes

300 g de lentilles
1 oignon
2 gousses d'ail
150 g de lard fumé
2 cuillères à soupe de crème épaisse
Cerfeuil
Sel

- Dans un faitout rempli de 2,5 l d'eau salée, mettre les lentilles, l'oignon émincé, les deux gousses d'ail, la bande de lard fumé et cuire 1 h environ.
- Retirer la bande de lard en fin de cuisson.
- Mixer la soupe et rectifier l'assaisonnement. Couper le lard cuit en petites bandes, remettre dans la soupe. Ajouter la crème épaisse, les pluches de cerfeuil et servir.

Soupe à l'ail des ours

Pour 8 personnes

500 g de feuilles d'ail des ours
1 poireau
1 oignon
100 g de farine
80 g de beurre
25 cl de crème
1 cuillère à soupe d'huile d'olive
Sel

- Cueillir l'ail des ours juste après la fonte des neiges. Emincer le poireau et l'oignon. Dans un faitout, faire suer le poireau et l'oignon en évitant toute coloration. Singer avec la farine.
- Mélanger comme pour faire un roux blanc. Mouiller avec 2,5 l d'eau. Ajouter l'ail des ours, saler et cuire 45 min. En fin de cuisson, mixer.
- Ajouter la crème et rectifier l'assaisonnement. Ciseler 50 g d'ail des ours, passer dans l'huile d'olive et saler. Disposer sur la soupe très chaude, servir.

Bouillon de grenouilles

Pour 8 personnes

4 douzaines de grenouilles
1 poireau
1 carotte
1 oignon
1 petit bouquet garni
3 gousses d'ail
Sel et poivre

- Couper l'oignon en deux et le faire brûler à même la plaque de la cuisinière quelques minutes. Mettre les cuisses de grenouilles très fraîches dans une casserole avec 2,5 l d'eau. Saler et porter à ébullition en écumant sans cesse.
- Ajouter le bouquet garni, l'ail, les légumes émincés et l'oignon. Cuire sans faire bouillir environ 1 h. Le bouillon doit rester très limpide et avoir une couleur jaune dorée.
- Passer au chinois (passoire très fine) délicatement et rectifier l'assaisonnement. Ce bouillon était destiné principalement aux malades.

Pour 8 personnes

900 g de pommes de terre
2 poireaux
10 g de beurre
60 g d'écailleux secs
2 dl de crème
Gros sel
Poivre

Soupe aux écailleux

• Emincer le poireau et le laver. Eplucher, laver et couper les pommes de terre en gros cubes.
• Dans un faitout, faire suer le poireau. Ajouter 2,5 l d'eau et les pommes de terre.
• Assaisonner. A mi-cuisson (environ 30 min) ajouter les écailleux secs écrasés.

Soupe au lard et au fromage

Pour 6 personnes

500 g d'oignons
1,5 l d'eau
100 g de beurre
200 g de comté râpé
200 g de lard fumé blanchi, coupé en tranches
Sel, poivre
6 tranches de pain grillé

Soupe au lard et au fromage

• Emincer les oignons, les faire suer dans une casserole avec le beurre jusqu'à bonne coloration.
• Ajouter l'eau bouillante, le lard fumé. Cuire une bonne demi-heure. Servir dans une soupière en intercalant le pain, le comté râpé et les tranches de lard puis verser le bouillon dessus.

Soupe aux écailleux

Les Entrées

Soupe glacée de melon, sorbet au Mac vin

Pour 4 personnes

250 g de sucre
3 dl d'eau
2 dl de Mac vin
1 melon de 600 g
1 branche de menthe

- Porter à ébullition l'eau et le sucre. Réserver le sirop au frais. Couper le melon en deux, retirer les pépins.
- A l'aide d'une cuillère à pommes noisettes prélever douzc boules de chair.
- Mixer le restant de la chair avec 3 dl de sirop. Réserver au frais. Mélanger le restant du sirop avec le Mac vin et passer à la sorbetière.
- Dresser dans des assiettes creuses la soupe glacée et les boules de melon ainsi qu'une grosse boule de sorbet au Mac vin.
- Déposer une feuille de menthe. Cette entrée est très agréable et fraîche.

Soupe glacée de lentilles vertes, groin de cochon et croustillant de lard fumé

Pour 4 personnes

1 groin de cochon cuit acheté chez votre charcutier
4 bandes de lard fumé extrêmement fines
1 carotte
1 oignon
2 gousses d'ail
150 g de lentilles vertes
1 cuillère à soupe de vinaigre balsamique
1 dl d'huile d'olive
Sel et poivre
1 dl de crème
Cerfeuil

- Dans une poêle antiadhésive, étaler les bandes de lard et couvrir d'un récipient en inox pour les écraser.
- Cuire jusqu'à ce que le lard soit croustillant. Laver, couper la carotte et l'oignon. Suer à l'huile d'olive. Ajouter les lentilles, les gousses d'ail et 50 cl d'eau.
- Saler une fois cuit. Laisser refroidir.
- Ajouter la crème et mixer. Rectifier l'assaisonnement et réserver au frais.
- Couper le groin de cochon en lamelles épaisses et poivrer. Poêler dans un peu d'huile d'olive et ajouter la cuillère de vinaigre balsamique.
- Dans chaque assiette creuse, remplir aux trois quarts de soupe de lentilles glacée, ajouter les lamelles de groin de cochon tièdes, le croustillant de lard et les pluches de cerfeuil.

Flan d'œufs de Madame Dhouteau

Pour 4 ramequins

25 cl de lait
2 œufs
Sel et poivre
30 g de comté râpé

- Faire bouillir le lait, battre les œufs, mélanger le tout, saler, poivrer. Ajouter le comté râpé. Verser dans les ramequins et cuire au bain-marie environ 30 min à thermostat 6.
- Démouler les flans et servir éventuellement sur un croûton accompagné de sauce tomate.

Soupe glacée de melon, sorbet au Mac vin

Ragoût de moules bouchot aux flageolets et saucisse de Morteau

Ragoût de moules bouchot aux flageolets et saucisse de Morteau

Pour 4 personnes

2 kg de moules bouchot
50 g d'échalotes
20 g de persil
1,5 dl de vin blanc de Vuillafans
Sel et poivre
50 g de flageolets
200 g de saucisse de Morteau
1 dl de crème
Persil plat

- Gratter les moules, les laver. Les faire ouvrir pendant la cuisson (échalote ciselée, persil, vin blanc sel, poivre) à couvert. Après cuisson, décortiquer les moules et réserver avec le jus de cuisson. Cuire les flageolets.
- Cuire la saucisse de Morteau, la détailler en grosse julienne (petits bâtonnets). Chauffer les moules avec les flageolets et ajouter la crème.
- Dresser dans des assiettes creuses, ajouter sur chacune la Morteau chaude et le persil plat ciselé Le mariage du fumé et de la mer est fort apprécié, oser servir un côtes du jura fleur de chardonnay de Labet et vos convives seront ravis.

Gâteau de brochet du lac de Malpas

Pour 8 personnes

500 g de filet de brochet
4 œufs
400 g de crème épaisse
2 cl d'eau-de-vie de Franche-Comté
2 carottes
2 échalotes
1 poireau
1 petite botte de ciboulette
Sel et poivre
10 g de beurre

- Eplucher les carottes et les couper en dés minuscules. Emincer finement le poireau et faire étuver les légumes dans une casserole avec 50 g de beurre et 1 dl d'eau. Réserver.
- Couper le filet de brochet en lanières. Assaisonner. Sur feu vif, faire fondre 50 g de beurre dans une poêle avec l'échalote ciselée. Ajouter les lanières de brochet et les faire revenir rapidement sans les cuire.
- Dans le bol d'un mixeur, mettre le brochet le sel, le poivre et mixer. Incorporer les œufs un à un, l'eau-de-vie de Franche-Comté et la crème. Rectifier l'assaisonnement et débarrasser dans un récipient.
- Ajouter les légumes étuvés à l'aide d'une spatule en bois et la ciboulette ciselée.
- Beurrer huit ramequins et les garnir avec la préparation. Cuire au bain-marie 30 min au four à thermostat 6.
- Démouler les gâteaux sur assiette et servir. On peut accompagner ce gâteau d'un coulis de tomates et de croûtons frottés légèrement à l'ail.

Petits gris en sauce blanche

Pour 8 personnes

1,5 kg environ de petits gris de sapin
40 g de beurre
40 g de farine
1 l de lait
150 g de crème fraîche
1 gousse d'ail
Sel et poivre
Muscade

- Préparer et nettoyer les champignons, les blanchir à l'eau chaude. Attendre à nouveau l'ébullition, égoutter puis rafraîchir.
- Faire un roux blanc avec le beurre et la farine. Ajouter le lait, la gousse d'ail écrasée. Assaisonner et cuire 5 min.
- Ajouter les petits gris, la crème, faire mijoter 10 min et servir. C'est une entrée très parfumée, rapide à préparer en rentrant de la cueillette.

Tartare de grosse truite au Brési

Pour 6 personnes

500 g de filet de grosse truite fraîche
150 g de Brési en tranches fines
2 échalotes
1 petit bouquet de ciboulette
1 petit bouquet de cerfeuil
1 branche d'estragon
1 betterave rouge cuite
1 cuillère à café de moutarde douce
Vinaigre de Xérès
Vinaigre balsamique
2 dl d'huile d'olive
Sel et poivre
Tabasco

• Hacher finement la chair de truite au couteau (peu à la fois pour ne pas chauffer la chair), et réserver au frais.
• Tapisser six ramequins ou cercles en inox de 6 cm de haut par 7 cm de diamètre, légèrement huilés, de fines tranches de Brési. Hacher le restant du Brési.
• Passer la betterave dans une centrifugeuse pour obtenir du jus. Ciseler l'échalote. Mélanger la chair de truite, le Brési haché, l'échalote, le sel, le poivre, deux gouttes de Tabasco, la cuillère de moutarde, l'huile d'olive, le vinaigre de Xérès et la moitié des herbes ciselées.
• Rectifier l'assaisonnement selon votre goût. Garnir les ramequins ou les cercles. Emulsionner le jus de betterave avec 1 dl d'huile d'olive et une cuillère à café de vinaigre balsamique.
• Au moment de servir démouler sur des assiettes. Disposer la vinaigrette de betteraves rouges autour du tartare et le restant des herbes dessus.

Soupe de choux aux escargots et lard fumé

Pour 8 personnes

1 chou vert de 300 g
1 oignon
30 g d'échalote
50 g de riz
70 cl de bouillon de volaille
8 tranches fines de lard fumé
64 escargots
100 g de beurre
Sel et poivre
Huile de colza grillé
4 radis
Cerfeuil
Persil plat

• Emincer finement l'oignon et le chou vert. Réserver 40 g de chou cru pour la finition. Faire revenir l'oignon et le chou vert dans 50 g de beurre fondu. Au bout de 5 min, ajouter le riz, le bouillon de volaille, le sel, le poivre et cuire cette soupe à feu vif 15 min.
• Blanchir 2 min les fines tranches de lard fumé. Mixer et rectifier l'assaisonnement de la soupe. Ciseler l'échalote.
• Dans une poêle, faire sauter les escargots avec le restant du beurre et l'échalote. Chauffer le lard dans la soupe. Déposer dans chaque assiette creuse une petite louche de soupe, les escargots, une tranche de lard.
• Parsemer de cerfeuil, de persil, de chou cru passé dans un filet d'huile de colza grillé, et de rondelles de radis sur chaque assiette.

Salade de pissenlits au lard

Pissenlits
50 g de lardons fumés par personne

Vinaigrette
Huile d'olive et vinaigre balsamique
Sel, poivre
1 échalote ciselée

• Nettoyer et préparer les pissenlits.
• Dans une poêle antiadhésive, griller les lardons. Dans un saladier, préparer la vinaigrette avec l'échalote. Ajouter les pissenlits et les lardons grillés chauds dessus. Mélanger et servir.

Tartare de grosse truite au Brési

Tarte fine à la Morteau, étuvée de poireaux et œuf poché

Tarte fine à la saucisse de Morteau, étuvée de poireaux et œuf poché

Pour 4 personnes

200 g de pâte feuilletée soit 4 cercles de 15 cm de diamètre
1 saucisse de Morteau de 400 g
400 g de poireaux
4 œufs
50 g de beurre
Herbes fraîches
1 filet d'huile de colza grillé par tarte
Sel de Guérande
Poivre

- Cuire la saucisse de Morteau 20 min à frémissement dans de l'eau non salée.
- Emincer finement les poireaux, laver, cuire avec un peu d'eau, de sel et de beurre à couvert jusqu'à évaporation complète.
- Pocher les œufs à l'eau frémissante légèrement vinaigrée. Etaler finement la pâte feuilletée, découper quatre disques de 15 cm de diamètre. Cuire 9 min à thermostat 7-8 entre deux plaques. Après cuisson de la pâte, étaler l'étuvée de poireau dessus.
- Découper la saucisse de Morteau en fines tranches et la disposer en rosace sur les poireaux, l'œuf poché au centre, un filet d'huile de colza grillé, sel de Guérande et les herbes ciselées.

Traditionnelle saucisse de Morteau et pommes de terre en salade

Pour 8 personnes

2 saucisses de Morteau de 400 à 500 g
1 kg de pommes de terre cuites en robe des champs
2 échalotes
1/2 gousse d'ail
1 bouquet de persil plat

Vinaigrette

25 g de moutarde
Poivre, sel
2 cl de vinaigre
1,5 dl d'huile d'arachide

- Cuire les deux saucisses entre 20 à 25 min à l'eau frémissante sans les piquer.
- Eplucher et couper les pommes de terre cuites encore chaudes. Ciseler l'échalote et le persil. Ecraser la demi-gousse d'ail. Préparer la vinaigrette. Mélanger le tout délicatement. Rectifier l'assaisonnement.
- Couper la Morteau en rondelles épaisses. Servir dans un plat creux.

Traditionnelle saucisse de Morteau et pommes de terre en salade

Pour 4 personnes

1 belle saucisse de Morteau de 500 g
Pâte à brioche
250 g de farine
3 œufs
10 g de levure boulangère
Sel
2 cl d'eau
125 g de beurre ramolli
1 œuf pour dorure

Saucisse de Morteau en brioche

• La veille, cuire la saucisse et confectionner la pâte à brioche et réserver au réfrigérateur.
• Etaler la pâte en un rectangle supérieur à la saucisse. Retirer la peau de la saucisse de Morteau, la passer dans la farine et l'enrouler dans la pâte, replier les extrémités.
• Poser dans un moule à cake, laisser lever, dorer à l'œuf et cuire une bonne demi-heure au four thermostat 7. Servir chaud éventuellement avec une bonne salade.

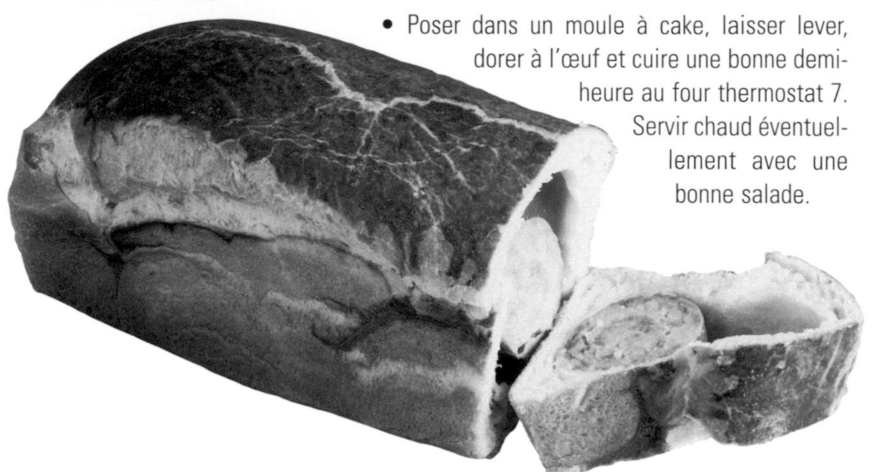

Saucisse de Morteau en brioche

Pour 4 petits saladiers

1/2 tête de cochon
2 pieds de cochon
1 queue de cochon
50 cl de vin blanc de Vuillafans
2 carottes
1 oignon
1 poireau
Tête d'ail
Thym
Laurier
1 bouquet de persil plat

Fromage de tête de cochon

• Dans une grande casserole mettre la tête, les pieds et la queue de cochon.
• Recouvrir d'eau froide et porter à ébullition en écumant sans arrêt. Saler et cuire environ 4 h. Quand la chair se détache de l'os, sortir les morceaux. Retirer tous les os.
• Couper grossièrement et remettre dans le bouillon avec les carottes émincées en rondelles, le poireau coupé finement, le vin blanc, l'ail, l'oignon haché et les aromates. Cuire 30 min. Ajouter le persil plat ciselé, vérifier l'assaisonnement.
• Verser cette préparation dans des saladiers. Mettre à refroidir. Servir avec des cornichons et des champignons au vinaigre.

Fromage de tête de cochon

TERRINE DE LAPIN AU SERPOLET ET AU CHARDONNAY DE VUILLAFANS

Pour 1 terrine

1 gros lapin
3 échalotes
1 bouteille de vin blanc de Chardonnay de Vuillafans
1 bouquet de jeunes pousses de serpolet frais
1 dl d'huile d'olive
1 barde de lard
Sel et poivre

• Désosser le lapin et couper en lanières. Réserver le foie pour le lendemain. Ciseler l'échalote. Mélanger le tout avec l'huile d'olive, le vin de Charcennes, le sel (16 g par kg de préparation) et le poivre. Laisser mariner 24 h.
• Le lendemain incorporer le serpolet frais. Tapisser le fond d'une terrine avec la barde de lard, ajouter le lapin mariné en intercalant le foie au milieu de la terrine. Cuire 1 h 30 au bain-marie à thermostat 5/6.
• Une fois la cuisson terminée, laisser refroidir en pressant légèrement à l'aide d'une planchette et d'un poids de 300 g.
• Entrée très fraîche que l'on peut accompagner éventuellement d'une salade aux orties (à cueillir avant la floraison).

Terrine de lapin au serpolet et au charcennes

Grosses ravioles de Morteau et foie gras de canard, filet d'huile de colza grillé

Pour 6 personnes

Pâte à ravioles

2 ŒUFS
200 G DE FARINE
1 CUILLÈRE À SOUPE D'HUILE D'OLIVE
2 PINCÉES DE SEL

(SUITE PAGE SUIVANTE)

GROSSES RAVIOLES DE MORTEAU ET FOIE GRAS DE CANARD, FILET D'HUILE DE COLZA GRILLÉ

• Confectionner la pâte à ravioles. Dans le bol d'un batteur, mélanger tous les ingrédients et travailler la pâte jusqu'à ce qu'elle se décolle du bol. Laisser reposer 1 à 2 h.

• Emincer l'échalote et le poireau. Faire suer avec 30 g de beurre dans une petite casserole à couvert. Une fois cuit, laisser refroidir. Etaler très finement la pâte à ravioles. Détailler des carrés de 15 cm. Prévoir deux ravioles par personne. Les carrés peuvent attendre au frais.

• Couper la saucisse de Morteau cuite en tranches de 5 mm ainsi que le lobe de foie gras de canard. Assaisonner. Déposer une cuillère de légumes étuvés et d'herbes hachées au centre des carrés.

• Intercaler deux tranches de Morteau et deux tranches de foie gras de canard.

• Badigeonner le tour du carré avec le jaune d'œuf. Recouvrir chaque carré d'un nouveau carré. Bien coller les bords de la pâte entre eux. Cuire les ravioles 5 à 6 min dans de l'eau bouillante salée.

• Chauffer le bouillon de volaille. Ajouter le restant du beurre et mixer. Rectifier l'assaisonnement.

• Dresser les ravioles dans les assiettes chaudes, napper de bouillon. Ajouter un filet d'huile de colza grillé dans le jus et les pluches de cerfeuil restantes.

Garniture

500 g de saucisse de Morteau cuite
1 lobe de foie gras de canard de 400 g
60 g d'échalote
100 g de poireau
2 jaunes d'œufs
3 dl de bouillon de volaille
100 g de beurre
2 cl d'huile de colza grillé
Cerfeuil et ciboulette

PÂTÉ DE COCHON EN BOCAUX

Pour 5 à 6 bocaux de 350 g

500 g de gorge de cochon
400 g de lard gras
500 g de foie de cochon
1 oignon
2 gousses d'ail
3 œufs
1 grosse cuillère de crème épaisse
4 cl de marc du Jura
Sel (18 g au kg)
Poivre (5 g au kg)

• Hacher les viandes avec l'oignon et l'ail. Ajouter le marc du Jura, la crème, les œufs, le sel et le poivre. Mélanger délicatement avec une spatule en bois.

• Remplir les bocaux. Fermer avec les caoutchoucs et faire stériliser pendant 2 h 30. Conserver dans un endroit frais à l'abri de la lumière. C'est toujours agréable d'ouvrir un bocal de pâté à la dernière minute.

Pâté de cochon en bocaux

Terrine de canard au marc d'Arbois

Pour 1 grosse terrine

1 canard de Barbarie de 2,5 kg
300 g d'échine de porc
300 g de lard gras
250 g de foie de canard
150 g de foie gras de canard cuit
1 barde de lard
1 oignon
2 gousses d'ail sans le germe
1 dl de marc d'Arbois
Gros sel
Poivre
1 branche de thym
1 feuille de laurier

• Désosser complètement le canard. Détailler les filets en fines lanières, les cuisses, l'échine de porc et le lard gras en morceaux. Dans une jatte, assaisonner et arroser les lanières avec 5 cl de marc. Faire mariner 4 h.
• Passer le restant des viandes au hachoir sauf le foie gras cuit. Hacher l'oignon et l'ail. Mélanger délicatement les ingrédients de la farce, l'assaisonnement (18 g de sel au kilo et 5 g de poivre au kilo) et le restant du marc.
• Tapisser le fond de la terrine avec la moitié de la barde. Intercaler la farce, les lanières, les tranches de foie gras cuit jusqu'à remplir la terrine. Recouvrir avec le restant de la barde, la branche de thym et la feuille de laurier.
• Recouvrir d'un papier aluminium, mettre le couvercle et cuire 1 h 30 au bain-marie à thermostat 6. En fin de cuisson, presser légèrement la terrine à l'aide d'une planchette et d'un poids pendant environ 2 h. Garder au réfrigérateur 2 à 3 jours.

Roëstis aux œufs cassés

Pour 6 personnes

1 kg de pommes de terre cuites en robe des champs
150 g de lardons fumés
2 oignons
Un peu d'huile et de saindoux
Sel, poivre
6 œufs

• Couper les pommes de terre cuites en rondelles. Emincer les oignons, les faire revenir dans un poêle avec la matière grasse et les lardons.
• Ajouter les pommes de terre. Quand celles-ci sont dorées à souhait, casser les œufs dessus. Servir quelques minutes après.

Roëstis

Terrine de canard au marc d'Arbois

Poêlée de craterelles

Crapé de 10 heures aux Granges Tavernier

Pour 8 personnes

450 g de farine
75 cl de lait
6 œufs
80 g de beurre
1 pincée de sel
25 cl d'huile

• Faire fondre le beurre. Dans un cul-de-poule, casser les œufs puis, à l'aide d'un fouet, incorporer la farine, le sel, le lait et le beurre afin d'obtenir une pâte assez lisse. Chauffer l'huile dans une poêle. Avec deux cuillères laisser tomber des petites boules de pâte dans l'huile chaude. Retourner les crapés. Une fois bien colorés, les égoutter sur un papier absorbant. Servir à 10 h avec un bol de café au lait.

Poêlée de cèpes

Pour 6 personnes

1,5 kg de cèpes
2 échalotes
1 gousse d'ail
50 g de beurre
Estragon

• Préparer les cèpes en retirant toute trace de mousse et de terre. Laver rapidement, essuyer dans un torchon. Escaloper les champignons. Faire fondre le beurre dans une poêle.
• Faire sauter les cèpes avec la gousse d'ail entière, saler, poivrer. Ajouter l'échalote ciselée, remuer pendant 5 à 6 min. Couvrir et cuire 2 à 3 min. Parsemer d'estragon et servir simplement en entrée ou pour accompagner une viande.

Poêlée de cèpes

Poêlée de craterelles

Pour 6 personnes

1,5 kg de craterelles
2 échalotes
Sel et poivre
1 dl de jus de viande
Ciboulette
Cerfeuil
50 g de beurre

• Laver les champignons, les blanchir à l'eau chaude et bien les égoutter. Ciseler l'échalote.
• Dans une poêle, faire fondre le beurre et faire sauter les craterelles, ajouter l'échalote, assaisonner. Servir avec le jus de viande et parsemer d'herbes.

Pour 8 personnes

200 G DE MORILLES SÈCHES
200 G DE PETITS GRIS SECS
8 TRANCHES DE PAIN
1 DL D'HUILE
100 G DE BEURRE
40 G DE FARINE
8 DL DE LAIT
3 DL DE CRÈME
SEL ET POIVRE

CROÛTE AUX CHAMPIGNONS

• Tremper les morilles et les laver cinq à six fois. Tremper les petits gris, porter à ébullition et pendant ce temps faire un roux blond avec 40 g de beurre et 40 g de farine.
• Ajouter le lait froid, cuire, assaisonner. Mettre les petits gris avec une partie de l'eau de trempage et les morilles.
• Cuire environ 40 min. Ajouter la crème. Rectifier l'assaisonnement.
• Dorer les croûtons avec le restant du beurre et l'huile. C'est une excellente occasion pour faire découvrir les vins blancs du Jura.

Croûte aux champignons

Tomate farcie d'escargots et pomme de terre Charlotte aux herbes du jardin

Pour 8 personnes

8 tomates moyennes
500 g de pommes de terre Charlotte
64 escargots
3 échalotes
250 g de beurre
Herbes du jardin en bonne quantité (cerfeuil, persil plat, estragon, ciboulette)

- Laver les tomates en gardant le pédoncule. Découper le chapeau dans la partie supérieure. Evider l'intérieur.
- Dans un plat en porcelaine beurré, poser les chapeaux, les tomates assaisonnées à l'intérieur avec un peu de beurre. Cuire au four 15 min à thermostat 5/6.
- Eplucher et laver les pommes de terre, les couper en fines lamelles, saler et cuire 5 min à la vapeur. Ciseler la moitié des herbes. Cuire à l'eau bouillante salée le restant 3 min.
- Egoutter et garder un peu d'eau de cuisson pour l'émulsion de persil. Dans une poêle, faire sauter les escargots avec l'échalote ciselée et 40 g de beurre. Ecraser avec une fourchette les pommes de terre chaudes, incorporer 150 g de beurre, les herbes ciselées puis mélanger aux escargots.
- Garnir les tomates et réserver au chaud le temps d'émulsionner (fouetter énergiquement) les herbes avec 6 cl d'eau de cuisson et 60 g de beurre frais.
- Saler et poivrer.

Pizza façon Elisa et Léa

Pour 4 personnes

Pâte
200 g de farine
100 g d'eau
1 pincée de sel
1 cuillère à soupe d'huile d'olive
10 g de levure de boulanger

Concassé de tomates
600 g de tomates
30 g de beurre
5 cl d'huile d'olive
2 échalotes hachées finement
1 gousse d'ail écrasée
1 feuille de laurier
1 branche de thym
2 branches de persil
2 branches d'estragon haché
Sel et poivre
1 morceau de sucre

Garniture
150 g de saucisse de Morteau cuite
200 g de vieux comté râpé (2 ans)

- Préparer la pâte à pizza. Mettre dans le bol d'un robot équipé d'un crochet, la farine, le sel, l'huile d'olive et mélanger.
- Ajouter la levure délayée dans l'eau. Faire tourner 2 min jusqu'à ce que la pâte se décolle (éviter de travailler la pâte trop longtemps).
- Couvrir le bol d'un torchon humidifié et laisser lever 1 h 30 à température ambiante. La pâte va doubler de volume.
- Préparer le concassé de tomates. Retirer la peau des tomates en incisant légèrement en forme de croix. Les plonger 2 min dans de l'eau bouillante puis dans de l'eau froide, la peau se retire alors facilement. Couper grossièrement les tomates. Dans une casserole, faire suer l'échalote avec le beurre et l'huile d'olive. Ajouter le concentré, les tomates, le laurier, le thym, les herbes hachées et l'ail. Saler, poivrer et sucrer.
- Cuire environ 30 min. Laisser refroidir. Etaler la pâte ronde ou rectangulaire (selon la taille du four, la partager en deux). Appuyer fortement avec la paume de la main en allant du centre vers le bord. Piquer le fond.
- Terminer avec un rouleau à pâtisserie. Laisser les bords un peu plus épais.
- Etaler le concassé de tomates sur la pâte. Disposer la saucisse de Morteau en fines tranches et le comté râpé. Cuire à four très chaud 15 min à thermostat 8-9.

Les Entrées fromagées

Ramequins au fromage

Pour 6 personnes

200 g de fromage (Gex, Morbier, Comté)
30 cl de lait
30 cl de crème
6 œufs entiers
Sel, poivre
Muscade
6 tranches de pain rassis
6 gros ramequins

• Disposer au fond des ramequins des morceaux de pain et des cubes de fromage. Dans un saladier, délayer les œufs, le lait, la crème et assaisonner. Verser dans les ramequins.
• Cuire 15 min thermostat 6. Servir immédiatement.

Soufflé au comté

Pour 8 personnes

Béchamel
50 g de beurre
50 g de farine
50 cl de lait
150 de comté râpé
6 jaunes d'œufs
6 blancs d'œufs
Sel, poivre
Muscade

• Préparer une béchamel avec le beurre, la farine et le lait. Hors du feu, ajouter les jaunes d'œufs un à un et le comté râpé, sel, poivre, muscade.
• Battre les blancs en neige avec une pincée de sel. Incorporer le quart des blancs au fouet dans l'appareil puis le restant délicatement avec une spatule.
• Remplir les moules. Au préalable, chemiser avec un peu de beurre et de la farine. Cuire environ 40 min thermostat 6 et servir aussitôt.

Gaudes façon gnocchis au vieux comté du fort Saint-Antoine

Pour 8 personnes

25 cl de lait
25 cl d'eau
200 g de beurre
1 cuillère à café rase de sel
100 g de vieux comté râpé (18 mois)
240 g de farine de gaudes (farine de maïs grillé du moulin Michel Taron à Chaussin dans le Jura)
40 g de farine blanche
7 à 8 œufs
Cerfeuil, estragon et ciboulette
8 dl de jus de viande
250 g de comté en lamelles fines
650 g de légumes verts suivant saison (asperges vertes, fèves, petits pois, poireaux)
Sel et poivre

• Porter à frémissement le lait, l'eau, le beurre et le sel. Une fois le beurre fondu et que le tout est à ébullition, ajouter la farine et les Gaudes en une seule fois.
• Travailler avec une cuillère en bois pour obtenir une pâte lisse en maintenant à feu doux. Retirer du feu et ajouter les œufs un à un et le comté râpé. Remuer sans cesse.
• Débarrasser la pâte dans une poche. Mettre de l'eau salée à bouillir pour pocher les gnocchis. Pousser la pâte au-dessus de l'eau frémissante et couper de façon à obtenir des bouchons. Laisser pocher 6 à 7 min à feu doux.
• Egoutter et réserver au chaud. Pendant ce temps, mettre à cuire vos légumes verts à l'eau salée.
• Dresser au centre des assiettes creuses les légumes chauds, disposer autour les gnocchis de Gaudes très chauds, poser dessus les lamelles de comté et napper avec le jus de viande bouillant afin que le comté commence juste à fondre.
• Terminer avec les herbes fraîches et un tour de moulin à poivre. Servir.

Gaudes façon gnocchis au vieux comté du fort Saint-Antoine

Tarte au bleu de Gex et aux poires

Pour 4 personnes

200 g de pâte feuilletée,
soit 4 cercles de 15 cm de diamètre
sur 2 mm d'épaisseur
200 g de bleu de Gex
2 poires William

- Disposer les disques de pâte entre deux plaques et cuire 10 min au four, thermostat 7-8. Couper le bleu de Gex en tranches de 5 mm. Eplucher les poires et les détailler en fines lamelles.
- A la sortie du four garnir immédiatement de tranches de bleu de Gex et remettre au four 3 min. Ressortir les tartes et déposer les lamelles de poire dessus, les repasser 2 min au four et servir.

Tarte au bleu de Gex et aux poires

Tarte aux poireaux et au comté

Pour 6 personnes

Pâte brisée
250 g de farine
125 g de beurre
5 cl d'eau
1 pincée de sel

Garniture
200 g de comté râpé
3 poireaux cuits, coupés finement
25 cl de lait
10 cl de crème
3 œufs
15 g de farine
Sel, poivre
Muscade

- Préparer la pâte en mélangeant tous les ingrédients. Eviter de trop la travailler.
- Laisser reposer. Préparer le goumeau en mélangeant les œufs, le lait, la crème, la cuillère de farine. Assaisonner. Etaler la pâte.
- Disposer la dans une tôle à tarte de 26 cm.
- Déposer au fond le poireau, le comté râpé. Verser le goumeau et cuire 45 min à thermostat 6.

Tarte aux poireaux et au comté

Tranche de Serra dans un gaspacho de tomate, pain grillé à l'ail et à l'huile d'olive

TRANCHE DE SERRA DANS UN GASPACHO DE TOMATE, PAIN GRILLÉ À L'AIL ET À L'HUILE D'OLIVE

Pour 8 personnes

600 G DE SERRA FRAIS
8 TOMATES
1/2 POIVRON ROUGE
1 OIGNON
1 GOUSSE D'AIL
12,5 CL D'HUILE D'OLIVE
2 CUILLÈRES À SOUPE DE VINAIGRE BALSAMIQUE
1 PETIT CONCOMBRE
SEL ET POIVRE
HERBES FRAÎCHES (BASILIC, CERFEUIL, ESTRAGON, CIBOULETTE)
8 TRANCHES DE PAIN GRILLÉ

Préparation du gaspacho

• Retirer la peau des tomates (les plonger quelques secondes dans de l'eau bouillante). Les couper en deux, retirer les pépins.
• Mixer ensemble l'oignon, le poivron et l'ail préalablement hachés. Ajouter les tomates, l'huile d'olive, le sel, le poivre et mixer. Rectifier l'assaisonnement.
• Réserver au froid pour servir glacé.

Dressage de l'assiette

• Couper les tranches de Serra et les faire tremper dans de l'huile d'olive, sel et poivre.
• Mettre le gaspacho dans les assiettes, quelques cubes de concombre, les herbes fraîches ciselées, un filet d'huile d'olive et de vinaigre balsamique, la tranche de Serra.
• Sur le bord de l'assiette, disposer le pain grillé frotté à l'ail et trempé dans l'huile d'olive. A servir en été, c'est très rafraîchissant.

CHÈVRE FRAIS DE LA FERME DU RONDEAU SUR UNE SALADE DE PISSENLITS AUX RETAILLES DE JAMBON FUMÉ DU HAUT-DOUBS

Pour 6 personnes

3 CHÈVRES FRAIS
1 BONNE CUEILLETTE DE PISSENLITS
2 ÉCHALOTES
1 GOUSSE D'AIL
HUILE D'OLIVE
VINAIGRE BALSAMIQUE
1 TALON DE JAMBON FUMÉ
SEL ET POIVRE

• Nettoyer et préparer les pissenlits. Ciseler l'échalote et l'ail finement. Couper les retailles de jambon fumé. Assaisonner d'huile d'olive et de vinaigre balsamique les pissenlits. Saler et poivrer.
• Dresser sur assiette la salade, un demi-chèvre frais par personne, parsemer de retailles de jambon fumé et servir.

Les Plats fromagés

Poêlon du Metsi de chez Sancey

Pour 4 personnes

1 Metsi
4 dl de crème
3 pincées de cumin
750 g de pommes de terre cuites en « robe des champs »
60 g de lardons fumés
30 g d'échalotes

• Verser au fond du poêlon la crème, puis le cumin. Disposer dessus la moitié des pommes de terre en rondelles.
• Parsemer l'échalote ciselée et les lardons. Recouvrir avec les pommes de terre restantes. Saler et poivrer. Disposer le Metsi coupé en tranches. Cuire 15 min au four thermostat 6-7. Déguster chaud.

Poêlon du Metsi de chez Sancey

Buissonnet au lard fumé

Pour 4 personnes

1 buissonnet (tome de vache de la fruitière de Malbuisson)
50 g de lard fumé
4 tranches de pain
25 cl de vin blanc de Champlitte
Huile d'olive
Gros sel de Guérande

• Couper les lardons et les faire revenir dans une poêle antiadhésive. Réduire le vin blanc jusqu'à ce qu'il en reste 5 cl.
• Couper le buissonnet en quartiers. Les poser dans un plat en fonte avec les lardons et le vin blanc réduit. Assaisonner de sel et poivre.
• Enfourner 8 min à thermostat 7. Griller les tranches de pain et les poser dans chaque assiette. Ajouter une cuillère à café d'huile d'olive sur chaque pain, un peu de sel de Guérande et le buissonnet chaud avec les lardons.

Poêlée de Serra du paysan

• Griller les tranches de Serra dans une poêle avec du beurre, ajouter l'échalote ciselée, à bonne coloration mettre un trait de vinaigre de Xérès.
• Servir avec une salade ou des pommes de terre en « robe des champs ». On peut également casser un œuf dans la poêle en fin de cuisson.

Tranche de Serra (100 g par personne)
Échalote ciselée
1 trait de vinaigre de Xérès
Beurre

Poêlée de Serra du paysan

La « bouette » de Mont-d'Or tout simplement avec des rondes à la braise

Pour 5 personnes

1 mont-d'or de 900 g
600 g de pommes de terre charlotte

• Choisir un mont-d'or coulant, crémeux et très parfumé, le laisser à température ambiante depuis la veille. Laver les pommes de terre rondes et ne pas les essuyer.
• Envelopper chaque pomme de terre dans un morceau de papier aluminium et faire cuire 40 min dans de la braise rougeoyante. Chaque convive épluchera ses pommes de terre.
• Les anciens mangeaient cette « bouette » le soir avec un grand bol de lait froid.

Pour 4 personnes

VIN BLANC SEC D'ARBOIS
2 GOUSSES D'AIL
2 KG DE POMMES DE TERRE
1 MONT-D'OR DE 800 G

LA FOND'OR DE CHEZ SANCEY

• Entourer la boîte de papier aluminium sans couvrir le fromage, creuser au centre du mont-d'or un trou de 3 à 5 cm de profondeur. Le remplir de vin blanc d'Arbois. Piquer le mont-d'or avec des morceaux d'ail.
• Mettre au four jusqu'à la fonte complète du fromage. Servir comme une raclette sur des pommes vapeur chaudes.

La Fond'Or de chez Sancey

Pour 6 personnes

1,2 KG DE COMTÉ RÂPÉ
1 BOUTEILLE DE CÔTES DU JURA BLANC
1 GOUSSE D'AIL
5 CL DE KIRSCH DE FOUGEROLLES
PAIN EN GROS CUBES

FONDUE FRANC-COMTOISE

• Frotter le caquelon avec la gousse d'ail, chauffer avec le vin blanc, ajouter le comté râpé au fur et à mesure en remuant sans cesse jusqu'à ce que la fondue soit bien lisse et homogène.
• Ajouter le kirsch, un tour de moulin à poivre. Chaque convive trempera ses morceaux de pain dans le caquelon. Bonne soirée à tous.

Fondue franc-comtoise

Les Poissons

Truite arc-en-ciel de la Jougnena au bleu

Pour 8 personnes

8 truites arc-en-ciel de 250 g sortant de l'eau
200 g de beurre fondu
2 citrons
Persil plat ciselé

Court-bouillon

300 g de carottes
200 g d'oignon
1 poireau
100 g de céleri
50 cl de vin blanc
Gros sel
Poivre

- Pour le court-bouillon, éplucher les légumes et les couper. Dans une casserole mettre 1,5 l d'eau, le vin blanc, les légumes. Cuire 20 min et à mi-cuisson ajouter le gros sel et le poivre.
- Préparer les truites. Chauffer le court-bouillon 10 min avant de servir. Plonger les truites, à partir de l'ébullition cuire 6 à 7 min.
- Servir avec les légumes du court-bouillon, le citron coupé en quartiers, le beurre fondu chaud et le persil plat ciselé.

Truite des gorges du Fourperret en papillote

Pour 2 personnes

2 truites de 300 g
1 échalote
60 g de carotte
60 g de poireau
60 g de beurre
Estragon
Cerfeuil

- Préparer la julienne. Tailler la carotte, le poireau, l'échalote en petits filaments. Dans une casserole, faire fondre 20 g de beurre, ajouter la julienne, saler et cuire à couvert 20 min.
- Vider les truites, couper la tête et la queue, essuyer soigneusement. Saler et poivrer l'intérieur, introduire l'estragon et le cerfeuil.
- Sur un carré de feuille d'aluminium, mettre la moitié de la julienne de légumes, poser la truite, recouvrir avec le restant des légumes et ajouter deux noisettes de beurre. Fermer les papillotes en ourlant les bords.
- Enfourner 15 min à thermostat 8-9. Servir sur assiette. Chaque convive ouvre sa papillote pour humer les saveurs qu'elle dégage.

Friture de truite d'Alain Gnecchi

Pour 6 personnes

800 g de filet de grosse truite
100 g de farine
1 l d'huile pour la friture
Sel et poivre

- Découper les filets en goujonnettes. Chauffer l'huile dans une poêle à grand bord. Passer le poisson dans la farine, bien secouer pour enlever l'excédent et frire immédiatement. Saler une fois égoutté.
- Servir et accompagner éventuellement d'une bonne salade.

Truite arc-en-ciel de la Jougnena au bleu

Darne de grosse truite cuite longuement au four, poireaux braisés au lard fumé

Darne de grosse truite cuite longuement au four, poireaux braisés au lard fumé

Pour 4 personnes

400 g de filet de grosse truite
4 lanières de vert de poireau blanchi
4 poireaux
50 g de lardons fumés
80 g de beurre
Ciboulette
Sel et poivre

• Tailler le filet de truite en tronçons de 3 cm. Les accoler pour obtenir une darne, nouer avec une lanière de poireau. Réserver.
• Couper les poireaux en quatre dans le sens de la longueur puis en tiges de 8 cm, les laver. Dans une casserole, faire revenir les lardons avec 40 g de beurre, ajouter les poireaux et saler.
• Couvrir immédiatement la casserole. En fin de cuisson les poireaux auront rendu du jus.
• Dans un plat sabot beurré, déposer les darnes de truite, assaisonner et cuire 10 min au four, thermostat 4. Au centre des assiettes dresser les poireaux braisés, déposer les darnes et quelques brins de ciboulette.
•Servir accompagné d'un côtes du jura chardonnay de Bernard Frères par exemple.

Filet de perche sur une mousseline d'oseille

Pour 4 personnes

500 g de filet de perche
60 g d'oseille
1 dl de crème fraîche
400 g de haricots verts
20 g de beurre
Huile d'olive
Sel et poivre

• Trier et couper les haricots verts en morceaux de 4 cm. Les faire cuire dans une grande quantité d'eau salée en les gardant légèrement croquants.
• Les rafraîchir à l'eau glacée pour leur conserver une belle couleur. Réserver.
• Pour préparer la mousseline d'oseille, équeuter et laver les feuilles d'oseille.
• Dans le bol d'un mixer mettre les feuilles, en ajoutant 5 cl d'eau froide et 5 cl d'huile d'olive, mixer. Saler et réserver au frais.
• Dans une poêle antiadhésive, rissoler les filets de perche à l'huile d'olive côté peau. Assaisonner de sel et poivre côté chair.
• Pendant ce temps chauffer doucement dans une casserole les légumes verts avec 20 g de beurre et 1 cl d'eau.
• Pour obtenir la mousseline d'oseille, fouetter la crème fraîche et l'incorporer à l'oseille mixée. Goûter et réajuster l'assaisonnement. Au moment de servir, dresser les haricots verts sur des assiettes chaudes et chevaucher avec les filets de perche.
• Napper le tour de l'assiette avec la mousseline d'oseille. Le contraste chaud et froid est très subtil.

Filet de perche poêlé, émulsion de persil à l'huile d'olive et julienne de pomme Granny Smith

Pour 6 personnes

700 g de filet de perche
300 g de persil frisé équeuté
50 g de beurre
1 dl d'huile d'olive
2 pommes Granny Smith
Sel et poivre

• Cuire le persil frisé à l'eau bouillante salée, égoutter en gardant un peu d'eau de cuisson. Dans le bol d'un mixeur, mettre le persil chaud, mixer puis récupérer la pulpe.
• Dans une poêle antiadhésive rissoler à l'huile d'olive les filets côté peau suffisamment longtemps pour obtenir une légère caramélisation. Laver les pommes, sans les éplucher couper en fines lamelles puis en filaments. Réserver.
• Dans une petite casserole, chauffer la pulpe de persil avec un peu d'eau de cuisson, le restant d'huile d'olive et 50 g de beurre, assaisonner et mixer énergiquement. Sur les assiettes chaudes, dresser la julienne de pomme en bouquet et chevaucher les filets de perche puis ajouter l'émulsion de persil autour.

Perche du lac Saint-Point simplement meunière

Pour 4 personnes

4 perches de 250 g
100 g de beurre
1 jus de citron
Sel et poivre
1 cuillère de persil haché finement

• Lever les filets, retirer les arêtes. Laver et essuyer avec soin. Dans une poêle antiadhésive, faire fondre le beurre, assaisonner et cuire les filets 3 min environ de chaque côté.
• Parsemer de persil, ajouter le jus de citron, le beurre va chanter. Servir éventuellement avec des pommes de terre nouvelles à la vapeur.

Grosse perche sur une compote de pommes à la fleur de serpolet

Pour 4 personnes

4 perches de 250 g à 300 g
1 dl de Côtes du Jura blanc
Sel et poivre
4 belles pommes Elstar
Serpolet frais

• Ecailler et vider les perches. Laver, essuyer soigneusement. Eplucher les pommes, les couper en quartiers. Mettre dans une petite casserole, ajouter 5 cl d'eau et cuire doucement à couvert.
• A mi-cuisson ajouter quelques fleurs de serpolet. Saler et poivrer les perches à l'intérieur, introduire les fleurs de serpolet. Dans un plat sabot beurré, mettre l'échalote hachée, poser les perches, mouiller avec le vin blanc et cuire 15 min au four, thermostat 6.
• Dans les assiettes, déposer une bonne cuillère de compote, chevaucher avec la perche. Mixer le jus de cuisson avec une noix de beurre fraîche et quelques gouttes d'eau froide. Napper les perches et servir.

Filet de perche poêlé, émulsion de persil à l'huile d'olive et julienne de pomme granny smith

Filet de corégone cuit au four, crème de petits pois à la menthe fraîche

Filet de corégone cuit au four, crème de petits pois à la menthe fraîche

Pour 8 personnes

1 kg de filets de corégone sans la peau
40 g de beurre
800 g de petits pois frais écossés
2 dl de crème
1 bouquet de menthe fraîche
Sel et poivre

• Cuire les petits pois dans une grande quantité d'eau salée. Rafraîchir à l'eau glacée pour qu'ils gardent leur belle couleur. Dans le bol d'un mixer, mettre les petits pois et faire une purée. Réserver.
• Détailler les filets de corégone en huit portions. Assaisonner et mettre cuire au four 10 min à thermostat 5 dans un plat beurré. Ciseler les feuilles de menthe. Chauffer la purée de petits pois avec 1 dl d'eau.
• Ajouter la crème, mixer et rectifier l'assaisonnement. Dans chaque assiette verser une petite louche de crème de petits pois, parsemer de menthe ciselée et déposer les morceaux de corégone au centre de l'assiette. Servir.

Truite de la Loue meunière

Truite de la Loue meunière

Pour 4 personnes

4 belles truites
5 cl d'huile d'arachide
250 g de beurre
2 citrons
Persil plat
Sel, poivre

• Nettoyer les truites, bien les essuyer, saler, poivrer. Toujours prendre une poêle adéquate. Faites la chauffer avec l'huile. Saisir les truites rapidement des deux côtés.
• Ajouter immédiatement le beurre. Faire dorer, arroser et retourner les truites sans cesse pendant 5 à 6 min.
• Une fois cuites, jeter le persil ciselé dans la poêle et un jus de citron. Servir aussitôt (le beurre chante et mousse).

Corégone entier à l'estragon

Pour 2 à 3 personnes

1 corégone de 800 g
4 branches de céleri
10 cl de vin blanc de Vuillafans
100 g de crème fraîche
1 échalote
40 g de beurre
Sel
Poivre mignonnette

• Ecailler et vider le corégone. Laver et essuyer soigneusement. Beurrer le fond d'un plat à poisson allant au four et parsemer l'échalote ciselée. Déposer le corégone entier assaisonné de sel et poivre mignonnette dans lequel on aura introduit les branches d'estragon. Mouiller avec le chardonnay de Vuillafans.
• Cuire au four 20 à 25 min à thermostat 6.
• En fin de cuisson, ajouter la crème. Dès que celle-ci est chaude, remettre un tour de moulin à poivre et parsemer quelques grains de fleur de sel. Servir.

Tronçon de tanche à la moutarde

Pour 6 personnes

2 tanches de 600 g chacune
50 g de beurre
2 cl d'huile d'olive
3 échalotes
2 dl de Côtes du Jura blanc
2 cuillères à soupe de moutarde forte
2 dl de crème fraîche
Sel, poivre
2 cuillères à soupe de persil plat ciselé

• Ecailler et vider les tanches. Laver et essuyer soigneusement. Découper en tronçons de 4 cm.
• Assaisonner les portions et rissoler dans le beurre et l'huile d'olive. Ajouter l'échalote hachée, les deux cuillères à soupe de moutarde forte et le Côtes du Jura blanc.
• Laisser mijoter pour finir la cuisson de la tanche. En fin de cuisson, réserver les morceaux dans un plat chaud de service. Mixer la sauce et rectifier l'assaisonnement.
• Napper le poisson de sauce onctueuse et parsemer de persil plat ciselé.

Anguille de l'Ognon en matelote

Pour 4 personnes

2 anguilles de 500 g chacune
2 échalotes
4 gousses d'ail
1 bouteille de vin d'Arbois cépage trousseau
1 bouquet garni (branches de persil, 1/2 feuille de laurier, 1 branche de thym)
1 gros oignon
200 g de champignons de Paris
3 cl de marc d'Arbois
150 g de beurre
25 g de farine
Sel et poivre
4 croûtons frottés à l'ail
Quelques feuilles de persil plat

• Préparer les champignons, les laver, les sécher et les couper en quartiers.
• Emincer l'échalote et faire revenir dans du beurre, ajouter les champignons, saler et cuire à couvert à feu doux une dizaine de minutes. Réserver. Vider et laver les anguilles. Détailler en tronçons. Couper les gousses d'ail en deux, retirer les germes, couper l'oignon en quartiers. Mettre dans une casserole assez haute l'arbois troussseau, l'ail, l'oignon, le bouquet garni et porter à ébullition.
• Ajouter le marc d'Arbois et flamber. Cuire 5 min, assaisonner. Ajouter les morceaux d'anguille et cuire à nouveau cinq bonnes minutes. Retirer le poisson et réserver dans un plat creux au chaud. Retirer le bouquet garni et les gousses d'ail. Faire un beurre manié avec 25 g de farine et 30 g de beurre. Chauffer les champignons.
• Fractionner le beurre manié en petites parcelles dans la cuisson des anguilles en fouettant quelques minutes. Ajouter les champignons, rectifier l'assaisonnement et verser dans le plat d'anguilles. Parsemer le persil plat ciselé.
• Servir avec les croûtons frottés à l'ail.

Dos de sandre, haricots blancs et saucisse de Montbéliard

Dos de sandre, haricots blancs et saucisse de Montbéliard

• Eplucher la carotte, la couper en quatre puis en morceaux de 1 cm. Couper l'oignon en rondelles. Nettoyer le blanc du poireau, le couper en deux puis en tronçons de 2 cm. Dans une casserole, faire fondre 50 g de beurre, ajouter la carotte, l'oignon, le blanc de poireau, 1,5 l d'eau et la saucisse de Montbéliard.
• Cuire 15 min. Ajouter les haricots blancs frais, goûter le bouillon et saler. La cuisson dépendra de la tendreté et de la fraîcheur des haricots. Partager le dos de sandre en six portions. Beurrer un plat allant au four. Garnir du sandre assaisonné, cuire 10 min à thermostat 5-6. Couper la saucisse en fines rondelles.
• Dresser les haricots blancs dans les assiettes, poser dessus le dos de sandre et superposer la saucisse de Montbéliard détaillée en forme d'écailles.
• Parsemer quelques pluches de cerfeuil. Excellent mariage entre le sandre, les haricots et le côté cumin de la saucisse de Montbéliard.

Pour 6 personnes

750 g de dos de sandre sans peau et sans arête
1 saucisse de Montbéliard
600 g de haricots blancs frais écossés
1 carotte
1 poireau
1 petit oignon
100 g de beurre
Pluches de cerfeuil

Sandre du Doubs au beurre rouge

Sandre du Doubs au beurre rouge

Pour 6 personnes

1 sandre de 2 kg
3 échalotes hachées
1 bouteille de Charcennes rouge Vieilles Vignes
250 g de beurre
2 carottes
Huile d'arachide
Sel et poivre

- Ecailler, vider et laver le sandre. Lever les filets, retirer le restant des arêtes à l'aide d'une pince à épiler. Couper les filets équitablement en trois. Réserver au frais. Eplucher les carottes et tailler en bâtonnets de 5 cm de long.
- Cuire à l'eau salée en les gardant légèrement croquantes. Rafraîchir, égoutter et réserver sur une assiette. Dans une casserole, mettre deux échalotes hachées, la bouteille de vin rouge de Charcennes, sel et poivre.
- Porter à ébullition et réduire. Il doit rester l'équivalent de six cuillères à soupe de vin. Fractionner le beurre et l'incorporer avec un fouet au fur et à mesure, à feu doux. Rectifier l'assaisonnement et réserver au bain-marie.
- Dans une poêle antiadhésive, rissoler à l'huile d'arachide les morceaux de sandre assaisonnés, suffisamment longtemps côté peau (5 min), pour obtenir une légère caramélisation. Retourner le sandre et terminer la cuisson au four 5 min à thermostat 6.
- Faire chauffer les carottes dans un peu d'eau et 20 g de beurre. Napper les assiettes chaudes avec le beurre rouge, déposer quelques bâtonnets de carotte sur le côté et chevaucher le sandre. Ajouter quelques brins de ciboulette. Servir.

Grenouilles de la Grange de Pierre comme on les aime

Pour 4 personnes

8 douzaines de grenouilles
300 g de beurre
150 g de farine
Sel et poivre

- Couper et déculotter les cuisses de grenouilles, les essuyer soigneusement une par une, nouer les cuisses et couper le bout des pattes. Entre chaque opération prendre soin de réserver au frais.
- Passer les cuisses de grenouilles dans la farine et retirer l'excédent en les tapotant dans les mains. Faire fondre le beurre dans deux poêles et poser les cuisses sans qu'elles se chevauchent.
- Cuire suffisamment longtemps en les retournant une par une sans cesse.
- Assaisonner en cours de cuisson. Il ne faut pas que la cuisson soit trop forte sinon les cuisses se dessèchent. Servir très chaud et, pour les amateurs, ne pas oublier de doubler les proportions !

Grenouilles en sauce blanche

Pour 6 personnes

8 douzaines de grenouilles nettoyées et nouées
200 g de beurre
50 g de farine

Sauce blanche

50 g de beurre
50 g de farine
75 cl de lait
10 cl de crème
1 gousse d'ail
Sel, poivre
Muscade

- Préparer la sauce blanche : faire un roux blanc très lisse. Ajouter le lait bouillant, la crème, la gousse d'ail écrasée, l'assaisonnement et cuire 15 min.
- Dans le même intervalle, passer les grenouilles dans la farine (secouer légèrement pour enlever l'excédent de farine). Faire fondre le beurre dans une poêle.
- Ajouter les grenouilles qui vont dorer doucement. Les retourner une par une et assaisonner. En fin de cuisson les mettre dans la sauce blanche avec un peu de beurre dans la poêle.
- Mijoter quelques minutes et servir. Ma mère ajoutait des morceaux de cervelle meunière...

GROS BROCHET DU LAC SAINT-POINT EN QUENELLE, COULIS D'ÉCREVISSES

Pour 8 personnes

Quenelles

500 G DE CHAIR DE BROCHET
4 ŒUFS
200 G DE CRÈME FRAÎCHE ÉPAISSE
50 CL DE LAIT
60 G DE BEURRE
125 G DE FARINE
SEL ET POIVRE
NOIX DE MUSCADE

Coulis d'écrevisses

4 DOUZAINES D'ÉCREVISSES
3 GOUSSES D'AIL
1 CAROTTE
1 OIGNON
ESTRAGON
2 CUILLÈRES À SOUPE DE CONCENTRÉ DE TOMATES
1 DL DE MARC D'ARBOIS
3 DL DE VIN BLANC D'ARBOIS
5 DL DE CRÈME
80 G DE BEURRE
HUILE D'OLIVE
SEL ET POIVRE

• Préparer une panade à la farine pour les quenelles. Dans une casserole, mettre le lait, le beurre, une pincée de sel, un tour de moulin à poivre et une râpée de noix de muscade. A l'ébullition jeter la farine d'un seul coup (comme pour une pâte à choux), bien mélanger sur le feu en remuant avec une cuillère en bois. La pâte va se détacher de la casserole.
• Hors du feu, ajouter trois œufs un par un et remuer énergiquement. Débarrasser dans un plat et recouvrir d'un papier beurré pour laisser refroidir. Préparer le coulis d'écrevisses.
• Châtrer les écrevisses (tirer sur le petit boyau qui est dans la queue).
• Eplucher et couper la garniture aromatique. Dans une casserole, faire chauffer le beurre et l'huile d'olive, ajouter les écrevisses qui vont rougir, la garniture aromatique et faire revenir à feu vif. Flamber au marc d'Arbois. Déglacer avec le vin blanc et cuire 5 min. Retirer les écrevisses, détacher les queues, retirer les carapaces.
• Réserver les queues dans un plat avec quelques écrevisses pour la présentation. Piler le restant des têtes et des carapaces. Remettre dans la casserole, ajouter le concentré de tomates, la crème et cuire 10 min. Filtrer la sauce dans une passoire fine et recuire jusqu'à ce que la sauce nappe la cuillère. Rectifier l'assaisonnement et réserver.
• Pour la finition des quenelles, retirer les arêtes du brochet à l'aide d'une pince à épiler. Le couper en petits morceaux. Passer la chair au mixeur, saler et poivrer. Incorporer la panade refroidie et le restant des œufs. Mélanger énergiquement pour obtenir une pâte très homogène. Ajouter la crème fraîche et réserver.
• A l'aide de deux cuillères à soupe trempées continuellement dans de l'eau froide, former les quenelles et les poser sur un papier sulfurisé. Dans une grande quantité d'eau bouillante, cuire les quenelles en plusieurs fois. Dès qu'elles sont cuites, elles remontent à la surface de l'eau. Egoutter. Garnir un plat creux allant au four, parsemer les queues d'écrevisses.
• Chauffer le coulis, mixer et verser sur les quenelles. Enfourner 10 min à thermostat 6. Les quenelles vont doubler de volume comme un soufflé. Servir immédiatement.

DARNE DE BROCHET AU CHARDONNAY DU MOUTHEROT

Pour 4 personnes

4 DARNES DE BROCHET DE 4 CM D'ÉPAISSEUR
8 ÉCHALOTES
30 G DE BEURRE
1 JUS DE CITRON
1 BOUTEILLE DE CHARDONNAY DU MOUTHEROT
2 DL DE CRÈME FRAÎCHE
SEL ET POIVRE DU MOULIN
CIBOULETTE
CERFEUIL

• Emincer les échalotes. Faire suer dans une casserole avec le beurre, un peu de sel, deux tours de moulin à poivre. Mouiller avec le chardonnay, à l'ébullition faire flamber le vin. Réduire de moitié, ajouter la crème.
• Cuire 5 min, mixer et rectifier l'assaisonnement (sel, poivre, jus de citron). Réserver au chaud. Laver, sécher et ciseler les herbes. Saler et poivrer les darnes de brochet.
• Cuire à la vapeur 6 min ou à défaut dans un court-bouillon léger (voir recette Truite au bleu). Dans les assiettes, mettre deux bonnes cuillères de sauce.
• Déposer les darnes au centre et parsemer d'herbes ciselées.

Gros brochet du lac Saint-Point en quenelle, coulis d'écrevisses

Filet de brochet au Pontarlier anis

Filet de brochet au Pontarlier anis

Pour 8 personnes

1 kg de filet de brochet
100 g d'oignons
100 g de carottes
40 g d'ail
Pistils de safran
2 dl d'eau
1 dl de Pontarlier anis
1 dl de vin blanc
1 branche de basilic
60 g de beurre
6 cl d'huile d'olive
20 g de farine
1 dl de crème
400 g de pois gourmands
Sel et poivre

• Eplucher et couper l'oignon en rondelles. Retirer le germe de l'ail et émincer finement.
• Eplucher les carottes et les tailler en fins bâtonnets. Equeuter les pois gourmands, les couper en deux dans le sens de la longueur. Cuire dans une grande quantité d'eau bouillante salée en les gardant légèrement croquants et rafraîchir à l'eau glacée. Réserver.
• Dans une casserole, chauffer l'huile d'olive et le beurre, ajouter l'oignon, l'ail et les carottes.
• Cuire à feu vif 5 min. Singer avec la farine. Mouiller avec le Pontarlier anis et le vin blanc, flamber. Incorporer l'eau et les pistils de safran. Porter à ébullition et réserver.
• Dans une poêle antiadhésive, rissoler à l'huile d'olive les filets de brochet suffisamment longtemps pour obtenir une légère caramélisation.
• Ajouter la crème dans la préparation de légumes au Pontarlier anis, incorporer les pois gourmands, réchauffer et rectifier l'assaisonnement. Dresser une petite louche de préparation au centre des assiettes.
• Déposer le filet de brochet et parsemer de basilic ciselé. Servir. Au cas où la sauce trancherait, filtrer dans une passoire fine, ajouter une cuillère d'eau froide, mixer et remettre sur les légumes.

Gâteau de brochet du lac de Malpas

Pour 8 personnes

500 g de filet de brochet
4 œufs
400 g de crème épaisse
2 cl d'eau-de-vie de Franche-Comté
2 carottes
2 échalotes
1 poireau
1 petite botte de ciboulette
sel, poivre
10 g de beurre

• Éplucher les carottes et les couper en dés minuscules. Émincer finement le poireau et faire étuver les légumes dans une casserole avec 50 g de beurre et 1 dl d'eau. Réserver.
• Couper le filet de brochet en lanières. Assaisonner. Sur feu vif faire fondre 50 g de beurre dans une poêle avec l'échalote ciselée. Ajouter les lanières de brochet et les faire revenir rapidement sans les cuire. Dans le bol d'un cutter, mettre le brochet, le sel, le poivre et mixer. Incorporer les œufs un à un, l'eau-de-vie de Franche-Comté et la crème.
• Rectifier l'assaisonnement et débarrasser dans un récipient. Ajouter les légumes étuvés à l'aide d'une spatule en bois et la ciboulette ciselée. Beurrer huit ramequins et les garnir avec la préparation.
• Cuire au bain-marie une demi-heure au four à thermostat 6.
• Démouler les gâteaux sur assiette et servir. On peut accompagner ce gâteau d'un coulis de tomates et de croûtons frottés légèrement à l'ail.

Ecrevisses au vin jaune

Pour 6 personnes

6 douzaines d'écrevisses
60 g de beurre
60 g d'échalotes hachées
3 dl de vin jaune
3 dl de crème
Sel, poivre

• Châtrer les écrevisses. Dans une sauteuse, faire suer l'échalote dans le beurre.
• Ajouter les écrevisses, bien remuer avec une spatule pendant 2 à 3 min. Ils vont rougir.
• Mouiller avec le vin jaune et cuire 6 à 8 min. Retirer les écrevisses. Ajouter la crème, laisser mijoter.
• Dresser les écrevisses dans un plat creux. Goûter la sauce et napper.

La Pochouse de Verdun-sur-le-Doubs

Pour 6 personnes

2 kg de poisson d'eau douce (carpe, brochet, anguille, tanche, gardon, sandre)

Sauce
50 g de lardons
1 bouquet garni
1 oignon
6 gousses d'ail
1 échalote
1 petit poireau
1 bouteille d'Arbois Chardonnay
100 g de beurre
25 cl de crème
1 jaune d'œuf
Sel, poivre
6 croûtons frottés à l'ail

• Laver soigneusement les poissons et les tronçonner. Dans une grande cocotte faire revenir dans le beurre les lardons, l'oignon, l'échalote, le poireau émincé et les morceaux de poisson assaisonnés.
• Ajouter l'Arbois Chardonnay, les gousses d'ail écrasées et le bouquet garni.
• Compléter avec un peu d'eau pour que le poisson soit immergé. Faire cuire 20 à 25 min. Retirer les morceaux de poisson. Faire réduire de moitié. Remettre le poisson et lier avec le mélange crème et jaune d'œuf.
• Rectifier l'assaisonnement. Servir très chaud sans avoir fait bouillir accompagné des croûtons frottés à l'ail.

Filet de truite poêlé sur des pommes de terre écrasées au comté

Pour 4 personnes

500 g de filet de truite sans la peau
250 g de pommes de terre charlotte
80 g de beurre
100 g de comté vieux de 1 an
5 cl de crème
1 filet d'huile d'olive
1 filet d'huile de noisette
Sel et poivre

• Découper quatre portions dans le filet. Eplucher, laver les pommes de terre et les couper en grosses rondelles. Cuire à la vapeur 6 min. Couper le comté en petits cubes.
• Dans une poêle antiadhésive rissoler à l'huile d'olive les filets suffisamment longtemps pour obtenir une légère caramélisation. Assaisonner. Finir la cuisson au four. Chauffer la crème.
• Ecraser les pommes de terre à la fourchette, incorporer le beurre mou, la crème chaude, assaisonner et goûter pour rectifier.
• Ajouter les cubes de comté au dernier moment. Servir sur assiette en ajoutant un cordon d'huile de noisette.

Ecrevisses au vin jaune

Cuisses de lapin au serpolet frais

Cuisses de lapin au serpolet frais

Pour 6 personnes

6 cuisses de lapin
1 oignon
2 carottes
3 gousses d'ail
1 bouquet de serpolet frais
50 cl de vin d'Arbois blanc
100 g de lard salé
50 g de beurre
Sel et poivre

- Peler l'oignon, le couper en fins quartiers. Peler les gousses d'ail, les partager en deux et retirer le germe.
- Eplucher les carottes, les couper en deux puis en sifflets. Tailler les lardons. Dans une cocotte, faire fondre le beurre, ajouter les lardons. Assaisonner les cuisses de lapin et les faire colorer sur toutes les faces avec les lardons. Ajouter l'oignon, les carottes et l'ail.
- Donner une légère coloration et mouiller avec le vin blanc. Ajouter le bouquet de serpolet et cuire à couvert 30 min.
- Découvrir pour que le jus réduise un peu pendant 10 min. Servir dans un plat creux. On peut accompagner le lapin avec un plat de topinambours.

Poulet de Bresse au Château-Chalon et morilles

Pour 8 personnes

2 poulets de Bresse de 1,6 kg
100 g de morilles sèches
1 bouteille de Château-Chalon
75 cl de crème
200 g de beurre
2 cuillère à soupe de farine
Sel et poivre
1 feuille de laurier
1 oignon
1 échalote

- Tremper les morilles et les laver cinq à six fois. Ciseler l'échalote, faire suer avec les morilles. Assaisonner.
- Déglacer avec 10 cl de Château-Chalon, cuire 5 min. Ajouter 25 cl de crème et laisser mijoter.
- Découper le poulet en morceaux, l'assaisonner et le faire revenir dans deux poêles avec le beurre et l'oignon coupé en quatre, pendant une dizaine de minutes. Singer. Déglacer avec le reste du Château-Chalon. Finir la cuisson dans une casserole avec les aromates, 10 cl d'eau, la crème et les morilles.
- Laisser mijoter 30 à 40 min. Goûter et rectifier l'assaisonnement.
- Accompagner d'un riz basmati ou éventuellement de crêpes Parmentières.

Poulet de Bresse au Château-Chalon et morilles

Pour 4 personnes

1 poulet de 1,2 kg
150 g de beurre
1 cuillère de farine
1 cuillère d'huile d'olive
24 écrevisses
2 gousses d'ail
1 petit oignon
1 échalote, estragon, thym, laurier, persil
Sel, poivre
1 cuillère de concentré de tomate
3 cl de marc d'Arbois
75 cl d'Arbois Chardonnay
20 cl de crème

Poulet aux écrevisses

• D'une part découper le poulet en huit morceaux et l'assaisonner ; le faire revenir dans une poêle avec 100 g de beurre et l'oignon coupé en quatre pendant une dizaine de minutes puis singer.
• Ajouter les deux tiers du vin blanc d'Arbois, les aromates et cuire une quinzaine de minutes. D'autre part, dans une casserole faire chauffer le restant du beurre et l'huile d'olive.
• Faire revenir les écrevisses châtrées, l'échalote et le concentré de tomate.
• Flamber au Marc d'Arbois, cuire 5 min, ajouter la crème et finir la cuisson.
• Décanter les deux opérations, passer au chinois. Mélanger les deux sauces et mixer. Associer le poulet, les écrevisses et la sauce.
• Chauffer, rectifier l'assaisonnement et servir.

Poulet aux écrevisses

Daube de bœuf au vin de Charcennes

Pour 8 personnes

2 kg de paleron de bœuf
3 cl d'huile d'olive
50 g de beurre
30 g de farine
2 gousses d'ail
2 oignons
3 carottes
1 pied de veau
100 g de lard fumé
1 bouteille de vin rouge de Charcennes
Gros sel
Poivre
1/2 feuille de laurier
1 branche de thym
Persil plat

Daube de bœuf au vin de Charcennes

• Eplucher l'ail, retirer le germe et couper en quatre. Détailler les lardons. Piquer le paleron avec les gousses d'ail et le lard fumé, assaisonner.
• Dans une grande cocotte, faire revenir et colorer le paleron dans l'huile d'arachide et le beurre sur toutes ses faces. Ajouter l'oignon coupé en quartiers.
• Singer avec la farine et retourner la pièce de viande sur toutes ses faces.
• Mouiller avec le vin rouge de Charcennes. Ajouter le pied de veau, les carottes, la demi-feuille de laurier, la branche de thym et les feuilles de persil plat. Couvrir et cuire au four à thermostat 6 pendant 2 h 30 à 3 h.
• Trancher la viande sur une planche à découper et remettre dans la cocotte. Présenter ainsi, chaque convive se servira.

Pour 4 personnes

4 pigeons
200 g de topinambours
40 g de pousses de sapin
2 cuillères à soupe d'huile
50 g de beurre
1 échalote
1 dl de jus de volaille

Pigeon aux pousses de sapin printanières

• Flamber et vider les pigeons. Eplucher et laver les topinambours. Tailler des lamelles de 3 mm d'épaisseur et cuire à l'eau bouillante salée en les gardant légèrement croquantes. Emincer finement les aiguilles de sapin, réserver. Cuire les pigeons au four 12 min à thermostat 6/7 avec l'huile et 20 g de beurre.
• Arroser fréquemment avec le gras. Laisser reposer les pigeons. Dégraisser le plat de cuisson, ajouter l'échalote ciselée, 1 dl de jus de volaille. Porter à frémissement. Filtrer et réduire le jus. Ajouter une partie des aiguilles de sapin.
• Lever les cuisses et les poitrines des pigeons. La cuisson doit être à point.
• Chauffer les topinambours dans un peu d'eau et de beurre. Chauffer les morceaux de pigeons quelques minutes au four avec le jus. Au centre des assiettes, dresser les topinambours, les poitrines et les cuisses de pigeons, napper de jus.
• Parsemer le restant des aiguilles de sapin, un peu de fleur de sel et faire un tour de moulin à poivre. Servir.

Pigeon aux pousses de sapin printanières

Pour 4 personnes

3 râbles de lièvre
1 échalote
10 baies de genièvre
25 cl de crème fraîche
1 dl de porto,
50 g de beurre
Sel et poivre

Râble de lièvre aux baies de genièvre

• Lever les deux filets de chaque râble. Saler et poivrer. Concasser un os.
• Ecraser les baies de genièvre. Dans un plat en fonte, saisir de tous les côtés les râbles de lièvre et l'os concassé. Ajouter les baies de genièvre et cuire 3 min au four à thermostat 8.
• Laisser reposer les râbles dans un plat chaud. Jeter l'os, dégraisser, ajouter l'échalote ciselée, déglacer avec le porto, verser la crème. Cuire jusqu'à ce que la sauce soit onctueuse et lisse.
• Couper les râbles chauds en biseaux. Dresser dans les assiettes. Rectifier l'assaisonnement de la sauce et napper le lièvre.
• Accompagner de céleri et marrons cuits à l'étouffée.

Râble de lièvre aux baies de genièvre

Potée comtoise

Potée comtoise

Pour 6 personnes

1 saucisse de Morteau de 300 g
1 palette demi-sel
250 g de lard demi-sel
250 g de lard fumé
3 carottes
1 chou
6 grosses pommes de terre
1 oignon piqué d'un clou de girofle
2 gousses d'ail
Poivre

• Dans un pot au feu blanchir les viandes et recouvrir d'eau froide. Porter à ébullition et égoutter. Mettre à cuire pendant 45 min dans 3 litres d'eau la palette, les deux sortes de lard, les carottes, l'oignon et l'ail.
• Ajouter alors le chou et la saucisse de Morteau. Laisser cuire plus lentement encore 35 min.
• Quinze minutes avant la fin de la cuisson mettre les pommes de terre. Découper la viande et dresser dans un plat avec les légumes.

Bécasse aux petits gris de sapin

Pour 4 personnes

4 bécasses
8 escalopes de foie gras de canard cru de 40 g chacune
80 g de lardons fumés
300 g de petits gris frais
1 échalote
2 cuillères à soupe de marc d'Arbois
Pluches de cerfeuil
Sel et poivre

• Plumer, flamber et vider les bécasses. Dénerver et lever les cuisses. Retirer les filets. Couper le bout terreux des champignons, les partager en deux ou quatre, les blanchir à l'eau bouillante et rincer à grande eau.
• Egoutter sur un linge. Concasser légèrement les carcasses des bécasses, assaisonner et faire dorer dans un plat en fonte. Flamber avec le marc d'Arbois, mouiller avec 25 cl d'eau, cuire doucement 15 min. Passer délicatement au chinois et cuire à nouveau jusqu'à réduction du jus pour obtenir environ 10 cl.
• Réserver. Assaisonner le foie gras. Dans une poêle très chaude, faire dorer rapidement les escalopes de foie gras sur un côté seulement. Réserver sur une assiette au chaud. Dans cette même poêle, faire roussir les lardons, ajouter les cuisses des bécasses, les petits gris bien égouttés et l'échalote ciselée.
• Séparément, dans un plat en fonte, saisir au beurre les filets de bécasses assaisonnés. Ajouter le jus obtenu avec les carcasses (10 cl) et le contenu de la poêle. Chauffer au four 3 min à thermostat 6. Ajouter le foie gras au dernier moment sur les assiettes.
• Quand l'ensemble est chaud, rectifier l'assaisonnement. Dresser les petits gris dans les assiettes avec les lardons au centre, poser dessus la tranche de foie gras, les cuisses, les filets des bécasses et le jus.
• Parsemer de pluches de cerfeuil et servir.

Grive aux raisins Poulsard

Pour 6 personnes

6 grives
60 g de lardons
1 cuillère d'huile d'arachide
50 g de beurre
1 pointe de gingembre
200 g de raisins Poulsard
5 cl de marc d'Arbois
10 cl de vin d'Arbois Poulsard
Sel, poivre

• Une fois les grives préparées, les faire cuire dans une cocotte avec le beurre et les lardons. Cuire les raisins dans un peu d'eau et de beurre.
• Lorsque les grives sont cuites (20 min), lever les cuisses et les filets. Remettre les carcasses dans la cocotte, une pointe de gingembre, flamber au marc d'Arbois, déglacer au vin Poulsard. Maintenir les grives au chaud.
• Passer le jus au chinois, ajouter les raisins. Goûter, dresser et servir.

Pot-au-feu de cochon

Pour 8 personnes

2 palettes fraîches de cochon
1 jambonneau
10 pommes de terre charlotte
1 oignon piqué d'un clou de girofle
1 bouquet garni
2 choux verts
Gros sel
Poivre
Persil plat

• Dans un grand faitout mettre les viandes, recouvrir d'eau froide. Ajouter l'oignon, le bouquet garni. Porter à ébullition en écumant régulièrement.
• Assaisonner de gros sel et cuire environ 1 h 30. Eplucher les pommes de terre. Préparer les choux en retirant les grosses côtes. Dans une casserole d'eau froide, démarrer la cuisson du chou ; à ébullition ajouter les pommes de terre, saler et cuire 15 min.
• Découper la viande, dresser dans un plat creux les légumes et dessus le pot-au-feu. Parsemer de persil plat ciselé et d'un peu de gros sel. Servir accompagné de moutarde et de cornichons.

Civet de lièvre de mon père

Pour 6 à 8 personnes

1 lièvre de 3 à 4 kg
1 l de vin rouge
2 cuillères à soupe de marc
1 carotte
1 oignon
1 tête d'ail
60 g de farine
1 feuille de laurier
1 branche de thym
5 cl d'huile
150 g de beurre,
100 g de lardons fumés
Sel et poivre

• Dépouiller le lièvre, le vider et recueillir le sang. Retirer le fiel du foie, réserver. Couper le lièvre en morceaux. Dans une poêle, faire chauffer l'huile et le beurre. Ajouter les lardons, la carotte coupée en morceaux et l'oignon émincé.
• Assaisonner, sauter vivement et égoutter avec une écumoire, réserver. Faire rissoler dans le même beurre les morceaux de lièvre, assaisonner, flamber au marc, singer avec la farine, remuer avec une spatule en bois jusqu'à ce que la farine soit colorée. Mouiller avec le vin rouge, ajouter l'ail écrasée.
• Faire bouillir et cuire tout en remuant de temps en temps. Vérifier l'assaisonnement, ajouter la feuille de laurier, la branche de thym, la garniture aromatique rissolée.
• Quand le civet est cuit (environ 1 h), passer le foie au tamis dans un récipient, mélanger au sang et verser petit à petit sur le civet en le maintenant sur le coin du feu. Remuer la cocotte jusqu'à la première manifestation d'ébullition.
• Mettre les morceaux de lièvre dans un plat creux et passer la sauce au chinois sur les morceaux de lièvre. Servir accompagné de pâtes fraîches et de céleri cuit à la vapeur, simplement passé au beurre.

Le gandeuillot de Fougerolles aux lentilles

Pour 4 personnes

8 tranches de gandeuillot cuites (environ 700 g)
300 de lentilles vertes
100 g de lard fumé
1 oignon
40 g de beurre
40 g de saindoux
2 dl de bouillon de bœuf

Garniture aromatique
1 oignon piqué de 1 clou de girofle,
2 gousses d'ail,
1 carotte,
1 petit bouquet garni
20 g de persil plat

• Blanchir les lentilles et les égoutter. Remettre dans la casserole et démarrer la cuisson à l'eau froide avec la garniture aromatique et saler. Couper des fines tranches de lard fumé.
• Dans une cocotte, mettre le beurre, le saindoux, l'oignon haché finement, les tranches de lard et cuire sans coloration. Ajouter les lentilles cuites après les avoir égouttées.
• Disposer les tranches de gandeuillot, le bouillon de bœuf et faire chauffer à couvert tout doucement. Servir dans un plat avec le persil ciselé.

Pot-au-feu de cochon

Pour 6 personnes

1 jésus de Morteau
600 g de pommes de terre charlotte
100 g d'oignons,
2 gousses d'ail
1 bouteille de poulsard
1 branche de thym
1/2 feuille de laurier
50 g de beurre
300 g de farine
Gros sel

Jésus de Morteau, pommes de terre et poulsard en terrine lutée

Jésus de Morteau, pommes de terre et poulsard en terrine lutée

- Eplucher et couper les oignons en fines lamelles. Les faire blondir dans une poêle avec le beurre et réserver. Eplucher l'ail, retirer le germe et hacher.
- Eplucher les pommes de terre, les laver et les couper en rondelles épaisses.
- Mélanger avec l'oignon, l'ail, saler au gros sel et déposer dans la grosse terrine.
- Ajouter le jésus de Morteau, la branche de thym, la demi-feuille de laurier et la bouteille de poulsard.
- Mettre le couvercle. Mélanger la farine à 2 dl d'eau pour luter la terrine (opération permettant l'étanchéité entre la terrine et le couvercle).
- Enfourner 2 h à thermostat 8/9. A la sortie du four, casser la croûte et apprécier toute la saveur et le moelleux de ce plat rustique. Vous allez régaler vos convives.

Joue de porc braisée entière à l'épeautre

JOUE DE PORC BRAISÉE ENTIÈRE À L'ÉPEAUTRE

Pour 6 personnes

12 joues de porc
1 oignon
1 carotte
4 gousses d'ail
40 cl de vin blanc
2 poireaux
150 g d'épeautre
100 g de beurre
Huile d'arachide
1 petit bouquet de persil
1 petite botte de ciboulette
1 bouquet de cerfeuil

• Dans une casserole d'eau bouillante salée, cuire l'épeautre pendant 10 min.
• Laisser refroidir dans l'eau de cuisson, sinon les grains restent durs. Dans une sauteuse, rissoler les joues de porc avec 50 g de beurre et trois cuillères à soupe d'huile d'arachide. Assaisonner. Lorsque les joues sont bien colorées, ajouter l'oignon émincé et la carotte coupée en petits cubes.
• Faire blondir et mouiller avec le vin blanc et 20 cl d'eau. Ajouter les gousses d'ail écrasées et un bouquet préparé avec des queues de persil et de cerfeuil. Laisser mijoter 1 h 30.
• Couper le poireau en rondelles, le laver et faire étuver dans une casserole avec 10 cl d'eau et 20 g de beurre. Saler. Egoutter l'épeautre et rincer à l'eau courante. Chauffer avec le restant du beurre et un peu d'eau. Au centre des assiettes mettre une cuillère de poireau, l'épeautre en cordon autour, déposer les joues de porc dessus et napper de sauce.
• Déposer sur chaque joue un bouquet d'herbes (cerfeuil, ciboulette, persil). C'est un plat que l'on peut manger à la cuillère tellement la viande est moelleuse.

Pour 6 personnes

2 KG DE SELLE D'AGNEAU AVEC OS
1 ÉCHALOTE
3 GOUSSES D'AIL
50 G DE BEURRE,
SEL ET POIVRE
1 DL DE VIN BLANC
1 BRANCHE D'ESTRAGON

RATATOUILLE
300 G DE TOMATES
300 G D'AUBERGINES
G DE COURGETTES
1 OIGNON
2 GOUSSES D'AIL
100 G DE LARD FUMÉ
1 BRANCHE DE THYM FRAIS
5 CL D'HUILE D'OLIVE

SELLE D'AGNEAU DU LARMONT RÔTIE, GROSSE RATATOUILLE AU LARD FUMÉ

• Préparer la ratatouille. Eplucher l'ail et l'oignon. Couper l'oignon en fins quartiers et hacher l'ail. Retirer la peau des tomates en les trempant dans de l'eau bouillante puis dans de l'eau froide.
• Couper de fines tranches de lard. Tailler les aubergines et les courgettes en gros cubes, les tomates en quatre en retirant les pépins. Dans une casserole saisir les oignons et le lard fumé à l'huile d'olive. Ajouter les aubergines et les courgettes. Saler et remuer avec une spatule en bois.
• Cuire quelques minutes et incorporer les quartiers de tomates, la branche de thym. Laisser sur le coin du feu, les légumes doivent rester croquants.
• Préparer la selle d'agneau, retirer le filet et le dos en suivant l'os. Retirer le nerf, avec un couperet casser l'os. Assaisonner la viande. Dans un plat en fonte, faire fondre le beurre, colorer la viande et l'os.
• Ajouter l'échalote coupée en quatre, les gousses d'ail entières avec la peau.
• Cuire au four 10 min à thermostat 7. Une fois cuite, laisser reposer la viande.
• Dégraisser le plat de cuisson, mouiller avec le vin blanc et faire réduire.
• Ajouter un peu d'eau. Couper la selle d'agneau en biseau, dresser la ratatouille sur un côté des assiettes chaudes, poser la viande à côté, ajouter une cuillère de jus avec les feuilles d'estragon.
• Sur chaque morceau de viande, donner un bon tour de moulin à poivre et mettre un peu de fleur de sel. Accompagner ce plat d'un arbois rouge vieilles vignes de Jacques Puffeney. Quel régal !

Pour 6 personnes

1 langue de bœuf de 1,6 kg
150 g de lard
1 cuillère à soupe de saindoux
5 cl de marc d'Arbois
1/2 bouteille de vin blanc de Vuillafans
1 pied de veau
1 branche de thym
1/2 feuille de laurier
1 carotte
1 oignon
5 gousses d'ail
500 g de petits gris
20 g de persil frisé

LANGUE DE BŒUF DU COMICE DE VAUX ET CHANTEGRUE

• Echauder la langue de bœuf puis retirer la peau. Couper le lard en lardons, l'assaisonner de sel et de poivre, le faire mariner dans le marc d'Arbois pendant 30 min. Larder la langue de bœuf. Faire une incision avec la pointe d'un couteau et enfiler le lardon, répéter l'opération autant de fois qu'il y a de lardons.
• Ebouillanter le pied de veau. Dans une grande cocotte en fonte, faire chanter le saindoux et rissoler la langue de tous les côtés. Ajouter la carotte et l'oignon débités en quartiers.
• Faire blondir, ajouter le pied de veau, la branche de thym, la demi-feuille de laurier réduite en poudre, le vin blanc de Vuillafans, l'ail écrasée et de l'eau froide de manière que l'ensemble soit juste recouvert.
• Cuire 2 h 30. Le gélatineux du pied de veau donnera de l'onctuosité à la sauce. Ôter le bout terreux des champignons, les couper en quartiers. Ebouillanter et rincer à l'eau froide. Retirer la langue et le pied de veau. Mixer la sauce, rectifier l'assaisonnement.
• Ajouter les petits gris. Couper la langue et dresser dans un plat creux, napper de sauce et parsemer de persil frisé haché. Servir accompagné d'une purée, c'est délicieux.

Selle d'agneau du Larmont rôtie, grosse ratatouille au lard fumé

Collier d'agneau fondant au lard fumé

Collier d'agneau fondant au lard fumé

Pour 4 personnes

1,2 kg de collier d'agneau
8 bandes de lard fumé
1 oignon
2 gousses d'ail
1 carotte
1 cuillère à soupe de concentré de tomates
50 cl de vin blanc
1 cuillère à soupe de farine
1 bouquet garni
1 cuillère à soupe de saindoux

- Couper le collier en tranches de 5 cm d'épaisseur. Enrouler chaque tranche d'une bande de lard fumé et nouer l'ensemble avec une ficelle. Assaisonner de sel et poivre.
- Dans une cocotte en fonte faire fondre le saindoux et colorer sur toutes les faces le collier. Eplucher la carotte et l'oignon, les émincer et ajouter au collier.
- Laisser blondir, saupoudrer de farine, laisser roussir et verser le vin blanc.
- Ajouter le concentré de tomates, le bouquet garni, l'ail écrasée et couvrir.
- Laisser mijoter 1 h 30. Servir dans la cocotte ou dans un plat creux.
- Accompagner de jeunes légumes printaniers ou de pommes de terre vapeur.

Côte de veau en cocotte aux mousserons

Pour 4 personnes

4 côtes de veau
30 g de beurre
5 cl de vin blanc
1 échalote
300 g de mousserons frais
2 dl de crème fraîche
Sel et poivre

- Couper la partie terreuse des mousserons, laver et blanchir à l'eau bouillante, égoutter. Saler et poivrer les côtes de veau.
- Dans une sauteuse mettre le beurre, faire dorer les côtes de veau de chaque côté et laisser cuire 2 min sur chaque face. Réserver la viande dans un plat sur le coin du feu.
- Dégraisser la sauteuse, ajouter l'échalote ciselée, mouiller avec le vin blanc. Réduire de moitié.
- Ajouter la crème, les mousserons et cuire quelques minutes, la sauce va épaissir. Rectifier l'assaisonnement et verser cette préparation sur les côtes de veau très chaudes.
- Servir et accompagner d'une bouteille d'arbois pupillin poulsard.

Daube de bœuf au vin d'Arbois

Pour 8 personnes

2 kg de paleron de bœuf
3 cl d'huile d'olive
50 g de beurre
30 g de farine
2 gousses d'ail
2 oignons
3 carottes
1 pied de veau
100 g de lard fumé
1 bouteille de vin blanc d'Arbois
Gros sel, poivre
1 demi-feuille de laurier
1 branche de thym
Persil plat

- Éplucher l'ail, retirer le germe et couper en quatre. Détailler les lardons. Piquer le paleron avec les gousses d'ail et le lard fumé, assaisonner.
- Dans une grande cocotte, faire revenir et colorer le paleron dans l'huile d'arachide et le beurre sur toutes ses faces. Ajouter l'oignon coupé en quartiers.
- Singer avec la farine et retourner la pièce de viande sur toutes ses faces.
- Mouiller avec le vin d'Arbois. Ajouter les carottes, la demi-feuille de laurier, la branche de thym et les feuilles de persil plat. Couvrir et cuire au four à thermostat 7 pendant 2 h 30 à 3 h.
- Trancher la viande sur une planche à découper et remettre dans la cocotte. Présenter ainsi et chaque convive se servira.

Canard sauvage, jus à la gentiane et aux écorces de pamplemousses confites

Pour 4 personnes

2 canards colverts
2 cuillères à soupe d'huile
50 g de beurre
1 dl de jus de volaille
1 dl de vin blanc
3 cl de gentiane (Ciane)
1 cuillère à café de fécule
2 écorces de pamplemousses confites
8 figues
1 petite carotte
2 échalotes
1 gousse d'ail
1 dl de crème
Quelques pluches de cerfeuil

• Plumer, flamber et vider les canards. Découper les cuisses. Dans une casserole, rissoler les cuisses, ajouter la carotte coupée en cubes, les échalotes en quartiers.
• Déglacer avec le vin blanc. Gratter les sucs au fond de la casserole. Mouiller avec 1 dl de jus de volaille et la crème liquide. Ajouter la gousse d'ail écrasée et cuire 25 min.
• D'autre part, cuire les coffres des canards dans un plat en fonte pendant 11 min à thermostat 6-7. Laisser reposer pour que la viande se détende.
• Laver les figues, inciser en forme de croix la partie supérieure. Déposer une noix de beurre dans l'incision et cuire au four 15 min dans un plat avec un peu d'eau.
• Délayer la fécule dans la liqueur de gentiane. Sortir les cuisses de la casserole et passer la sauce au chinois fin. Ajouter la gentiane, rectifier l'assaisonnement, chauffer et mixer la sauce. Chauffer les coffres des canards, lever les filets et couper en biseaux.
• Dans les assiettes dresser les figues sur le côté, faire chevaucher la cuisse et le filet en dessous. Parsemer l'écorce de pamplemousse confite en petits cubes sur l'assiette.
• Napper de sauce et parsemer de quelques pluches de cerfeuil.

Filet de bœuf aux morilles fraîches

Pour 6 personnes

1,6 kg de bœuf choisi par votre boucher
600 g de morilles fraîches
3 cl de marc d'Arbois
1 dl d'Arbois savagnin
100 g de crème
100 g de beurre
2 échalotes
Sel et poivre

• Couper la partie terreuse des morilles et laver à grande eau à plusieurs reprises. Egoutter et étaler sur un linge pour les éponger. Ciseler l'échalote et faire suer dans une sauteuse avec 50 g de beurre.
• Ajouter les morilles et recouvrir d'un couvercle. Elles vont rendre un peu d'eau. Réduire et ajouter le savagnin, réduire à nouveau. Ajouter la crème et cuire 5 min puis assaisonner.
• Réserver au chaud. Assaisonner la pièce de bœuf. Dans une sauteuse, rissoler la viande avec 50 g de beurre pour obtenir une cuisson saignante.
• Retirer de la sauteuse, dégraisser, déglacer au marc d'Arbois, ajouter immédiatement les morilles. Rectifier l'assaisonnement. Mettre une petite louche de morilles dans chaque assiette.
• Couper la viande en biais, un peu épaisse, et déposer les tranches sur les morilles. Ajouter un tour de moulin à poivre et quelques grains de fleur de sel.

Canard sauvage, jus à la gentiane et aux écorces de pamplemousses confites

Dos de chevreuil, poire au vin rouge de Champlitte

Dos de chevreuil, poire au vin rouge de Champlitte

Pour 4 personnes

1 kg de dos de chevreuil
2 bouteilles de vin rouge de Champlitte
1 carotte
4 échalotes
1 gousse d'ail
1 bouquet garni
40 g de farine
80 g de beurre
3 cl d'huile
5 g de poivre mignonnette
1 cuillère à soupe de gelée de groseille
4 poires
Zestes de 1 citron
Zestes de 2 oranges
70 g de sucre

• La veille préparer la selle de chevreuil. Retirer le filet en suivant l'os, retirer les nerfs et concasser les os. Réserver la viande au froid.
• Eplucher la carotte, les échalotes, l'ail. Couper grossièrement, les ajouter aux os concassés. Mouiller avec 1 l de vin rouge de Champlitte, mettre le bouquet garni, le poivre mignonnette.
• Laisser mariner à température ambiante jusqu'au lendemain. Eplucher les poires et les couper en deux, retirer les pépins. Faire bouillir le restant du vin rouge avec les zestes du citron et des deux oranges et le sucre.
• Plonger les demi-poires, faire reprendre l'ébullition et laisser macérer jusqu'au lendemain.
• Le jour même, égoutter la marinade. Dans une cocotte en fonte, faire chauffer l'huile et 40 g de beurre, colorer les os et la garniture. Singer avec la farine, bien mélanger et torréfier dans le four à thermostat 7-8. Verser le liquide de la marinade et cuire 1 h. Filtrer la sauce, la réduire des deux tiers en ajoutant la cuillère de gelée de groseille.
• Dans un plat en fonte, faire fondre 40 g de beurre. Assaisonner les filets de chevreuil, les faire dorer des deux côtés et terminer la cuisson au four 5 min à thermostat 7. Chauffer les poires au vin.
• Laisser reposer les filets sur le coin du feu. Dégraisser le plat de cuisson, ajouter la sauce.
• Découper le chevreuil et dresser en rosace, déposer la poire au centre. Filtrer à nouveau la sauce et verser autour. Ajouter un tour de moulin à poivre sur la viande.

Escalope de veau au comté

Pour 4 personnes

4 escalopes de veau de 150 g chacune
4 tranches de jambon fumé du Haut-Doubs
4 fines tranches de comté
3 œufs
3 cuillères à soupe d'huile
200 g de chapelure
25 g de farine
100 g de beurre
Sel, poivre

• Battre les œufs avec une cuillerée d'huile, le sel, le poivre. Aplatir les escalopes à l'aide d'un couteau batte. Les passer dans la farine et retirer l'excédent en les tapotant dans les mains.
• Poser les tranches de comté et de jambon fumé dessus. Passer l'ensemble dans l'œuf battu et dans la chapelure. Bien appuyer avec la paume de la main pour faire adhérer la chapelure.
• Dans une poêle, faire chauffer le beurre et l'huile. Poser délicatement les escalopes côté viande et laisser cuire 4 à 5 min sans y toucher sur le coin du feu.
• Lorsque le côté est bien doré, retourner l'escalope et cuire 5 min. Prendre soin que la chapelure ne colore pas trop rapidement et servir.

Les Légumes

Pour 8 personnes

1 kg de topinambours
150 g de comté
75 cl de lait
40 g de farine
50 g de beurre
Sel et poivre
Noix de muscade

Gratin de topinambours

• Eplucher et laver les topinambours. Les couper en lamelles de 3 mm d'épaisseur. Cuire à l'eau bouillante salée.
• Les rafraîchir et les égoutter. Dans une casserole, faire fondre le beurre et incorporer la farine à l'aide d'un fouet. Ajouter le lait chaud, assaisonner de sel, poivre et d'une râpée de noix de muscade. Cuire quelques minutes.
• Ajouter les topinambours à la béchamel. Verser dans un plat à gratin et parsemer de comté râpé.
• Enfourner à thermostat 6 jusqu'à ce que le gratin soit bien croustillant et doré.
• Idéal pour accompagner une viande rôtie.

Pour 6 personnes

1 kg de pommes de terre
150 g de lard fumé
2 oignons
2 cuillères à soupe de saindoux
Sel et poivre

Roestis de derrière les Crêts

• Laver les pommes de terre. Les faire cuire à l'eau froide salée dans leur peau en les gardant un peu ferme. Les égoutter et les laisser refroidir. Couper des lardons.
• Eplucher et couper les oignons en fins quartiers. Eplucher les pommes de terre et les couper en rondelles de 5 mm d'épaisseur. Dans une grande poêle, faire fondre le saindoux, ajouter les lardons et les oignons.
• Faire revenir une minute, ajouter les rondelles de pommes de terre. Faire dorer l'ensemble à découvert en retournant sans cesse sur feu assez vif au départ. Saler et poivrer.
• Ces roestis accompagnent à merveille du jambon à l'os fumé cuit et coupé un peu épais.

Pour 8 personnes

1,2 kg de pommes de terre
300 g de comté
1 œuf
40 g de farine
1 gousse d'ail
1 bouquet de persil
Sel, poivre

Galette de pommes de terre au comté

• Réunissez les pommes de terre râpées fines dans un saladier. Ajouter l'œuf, la farine, l'ail écrasé, le comté râpé, sel, poivre. Mélanger.
• Faire chauffer de l'huile et du beurre dans une poêle antiadhésive, disposer la préparation et saisir pour colorer.
• Surveiller la cuisson et retourner la galette pour cuire la deuxième face.

Le Pain

PAIN

1 KG DE FARINE DE CAMPAGNE
42 G DE LEVURE DE BOULANGER
25 G DE SEL DE GUÉRANDE
600 G D'EAU

• Partager l'eau en deux. Dans une moitié tiède faire fondre le sel, dans l'autre moitié dissoudre la levure à l'aide d'un petit fouet. Dans la cuve d'un robot pétrisseur mettre la farine et l'eau salée. Pétrir 2 min.
• Ajouter l'eau salée et pétrir 20 min en petite vitesse. La pâte va se décoller de la cuve. Laisser reposer 1 h 30 à température ambiante la pâte va doubler de volume. Rompre la pâte et la séparer en petites boules de 50 à 60 g. Façonner à la main des boules bien rondes.
• Les disposer sur une plaque, laisser lever 25 min à l'abri des courants d'air. Faire deux petites incisions dessus avec une lame de rasoir. Dans le four chaud (thermostat 8), poser un petit plat rempli d'eau et enfourner le pain entre 20 et 25 min.
• Pour l'amusement, cela ne remplacera pas un excellent pain de campagne acheté chez le boulanger.

Les Fromages

CANCOILLOTTE

Pour 2 gros bols

500 G DE METTON
1 GOUSSE D'AIL
100 G DE BEURRE
50 CL D'EAU
25 CL DE LAIT
SEL, POIVRE

• Fondre le beurre et le metton sur feu très doux en incorporant l'eau ; travailler pour obtenir une pâte lisse.
• Continuer d'ajouter le lait chaud, l'ail finement haché à discrétion. Mettre à refroidir avant de se régaler de bonnes tartines. On peut également enrichir la cancoillotte de vin jaune pendant la cuisson.

COMTÉ FRIT SUR UNE SALADE DE PISSENLITS

Pour 4 personnes

600 G DE PISSENLITS SAUVAGES
1 GOUSSE D'AIL
4 TRANCHES DE PAIN
HUILE DE NOIX DE PÉCAN
VINAIGRE BALSAMIQUE
320 G DE COMTÉ
1 ŒUF
1 CUILLÈRE D'HUILE
CHAPELURE
HUILE POUR LA FRITURE

• Couper la partie terreuse des pissenlits. Laver et essorer soigneusement.
• Couper le comté en gros bâtonnets. Battre l'œuf et ajouter la cuillère d'huile.
• Mettre à chauffer l'huile pour la friture. Tremper les bâtonnets de comté dans l'œuf puis dans la chapelure. Les plonger dans le bain d'huile. Dès que le comté est doré, égoutter sur un linge et maintenir au chaud. Griller les tranches de pain.
• Assaisonner les pissenlits d'huile de noix de pécan, de vinaigre balsamique, de sel et de poivre. Déposer dans l'assiette le croûton légèrement frotté d'ail, un bouquet de pissenlits dessus, et le comté frit.

CROÛTE AU BLEU DE GEX

Pour 4 personnes

4 TRANCHES ÉPAISSES DE PAIN DE CAMPAGNE
1 DL DE CHARDONNAY DE CHAMPLITTE
500 G DE BLEU DE GEX
POIVRE DU MOULIN
GROS SEL

• Couper le bleu de Gex en tranches de 1,5 cm et retirer la couenne. Disposer les tranches de pain sur une plaque allant au four. Humecter le pain avec le vin blanc.
• Déposer dessus le bleu de Gex, ajouter un tour de moulin à poivre et un peu de gros sel. Enfourner 15 min à thermostat 7.
• Servir aussitôt accompagné d'une bonne salade.

Cancoillotte

Gnocchis de semoule au morbier

Pour 6 personnes

50 cl de lait
50 g de beurre
1 œuf entier
2 jaunes
100 g de semoule de blé
1 cuillère à soupe d'huile
Sel fin
Noix de muscade
Poivre du moulin
400 g de morbier
Huile de colza grillé
6 bouquets d'herbes du jardin

Gnocchis de semoule au morbier

• Dans une casserole, faire bouillir le lait avec le beurre et une pincée de sel, ajouter un tour de moulin à poivre, une râpée de noix de muscade. Jeter en pluie la semoule de blé dur, remuer sans cesse avec une spatule en bois.

• Au bout de 5 min, ajouter l'œuf et les deux jaunes un à un. Cuire 3 min et mouler les gnocchis sur une plaque antiadhésive légèrement huilée. L'appareil doit être étalé sur 1,5 cm d'épaisseur en lui donnant la forme d'un rectangle. Laisser refroidir en plaquant un papier sulfurisé légèrement huilé.

• Détailler au couteau des rectangles de 8 x 6 cm. Poser sur une plaque antiadhésive. Découper le morbier en tranches de 1 cm d'épaisseur et de même dimension que le gnocchi. Assaisonner et passer au four 5 min à thermostat 7.

• Servir aussitôt dans des assiettes avec un filet d'huile de colza grillé et un petit bouquet d'herbes assaisonné comme une salade.

Beignet au bleu de Gex

Pour 4 personnes

360 g de bleu de Gex
200 g de farine
25 cl de bière Rouget de Lisle
Sel et poivre
Huile pour la friture
Huile d'argan
Vinaigre balsamique,
Ciboulette
Cerfeuil
Persil plat

• Verser la bière dans une jatte, mélanger peu à peu la farine à l'aide d'un fouet. •Saler et poivrer. Laisser reposer la pâte 1 h avant utilisation. Découper le bleu de Gex en morceaux de 30 g. Chauffer l'huile pour la friture.
• Tremper chaque morceau dans la pâte à beignets et frire immédiatement.
• Renouveler plusieurs fois l'opération. Dès que les beignets sont dorés, égoutter sur un linge et réserver au chaud. Assaisonner les herbes d'huile d'argan et de vinaigre balsamique.
• Poser trois beignets sur chaque assiette avec un bouquet d'herbes assaisonnées dessus et un filet d'huile d'argan autour.

Croûte au morbier

Pour 4 personnes

4 tranches épaisses de pain de campagne
1 dl de Chardonnay de Vuillafans
500 g de morbier en tranches
Poivre du moulin et gros sel

• Disposer les tranches de pain sur une plaque allant au four. Humecter le pain avec le vin blanc.
• Déposer dessus le morbier, un tour de moulin à poivre et un peu de gros sel.
• Enfourner 15 min à thermostat 7. Servir aussitôt.

Croûte au morbier

Les Desserts

Pour 6 personnes

50 cl de lait
6 jaunes d'œufs
60 g de sucre
90 g de miel
100 g de crème fleurette
125 g de pain d'épice
6 tranches de pain d'épice de 2 mm d'épaisseur
2 bananes
20 g de beurre
1 cuillère à soupe de sucre semoule
2 cl de rhum

Croustillant glacé au pain d'épice de Mouthe, banane flambée

• Préparer la glace. Faire bouillir le lait avec le miel. Infuser les 125 g de pain d'épice dans le lait pendant 5 min. Travailler les jaunes avec le sucre, verser le lait infusé dessus et reverser dans la casserole.
• Faire cuire à feu moyen et lorsque la crème nappe la cuillère ajouter les 100 g de crème fleurette. Laisser refroidir quelques heures au réfrigérateur. Verser ensuite cette crème dans la sorbetière et la faire prendre.
• Couper les tranches de pain d'épice en diagonale et les passer légèrement au four pour qu'elles soient croustillantes. Eplucher les bananes et les couper en biseau.
• Dans une poêle antiadhésive, faire fondre les 20 g de beurre et faire dorer les bananes. Ajouter une cuillère à soupe de sucre semoule et flamber avec le rhum.
• Dans les assiettes poser au centre les bananes et chevaucher avec une demi-tranche de pain d'épice. Poser une grosse quenelle de glace et superposer la dernière tranche de pain d'épice. Eventuellement faire un cordon autour avec de la crème anglaise ou de la sauce cacao.

Pour 8 personnes

150 g de sucre
10 jaunes d'œufs
50 cl de crème fleurette
8 cl de kirsch de la Marsotte

Parfait glacé au kirsch de la Marsotte

• Fouetter la crème fleurette assez ferme et réserver. Cuire le sucre à 115 °C.
• Dans la cuve d'un robot équipé d'un fouet, mettre les jaunes d'œufs, commencer à fouetter et verser petit à petit le sucre cuit en faisant tourner. La préparation augmente de volume.
• Ajouter le kirsch de la Marsotte et continuer de fouetter jusqu'à ce que le mélange soit refroidi. Retirer la cuve du robot et incorporer délicatement la crème fouettée. Verser cette préparation dans un moule à votre convenance.
• Placer au congélateur et laisser prendre 5 à 6 h. Démouler et couper des parts.
• Accompagner de griottes à l'alcool.

Croustillant glacé au pain d'épice de Mouthe, banane flambée

Glace à la reine-des-prés

Glace à la reine-des-prés

Pour 6 personnes

6 jaunes d'œufs
150 g de sucre
5 dl de lait
100 g de crème fleurette
80 g de groseilles
50 g de sucre
Fleurs de reine-des-prés

• Faire bouillir le lait et infuser les fleurs de reine-des-prés pendant 5 min. Travailler les jaunes avec le sucre pendant 2 min puis verser le lait infusé dessus. Reverser le tout dans la casserole et faire cuire à feu moyen. Lorsque la crème nappe la cuillère verser les 100 g de crème fleurette. Laisser refroidir quelques heures au réfrigérateur.
• Verser ensuite cette crème dans la sorbetière pour la faire prendre. Cuire 5 min les groseilles et le sucre. Passer à travers une passoire fine pour obtenir un jus. Poser sur les assiettes une énorme quenelle de glace sur le côté et dessiner un cordon de jus de groseilles.
• Accompagner de tuiles à l'orange et aux amandes et déguster un vin de paille Château de Persanges.

Petits pots de crème à la pontissalienne

Pour 10 pots de crème

1 l de lait
10 jaunes d'œufs
150 g de sucre
5 cl de Pontarlier anis

• Faire bouillir le lait, ajouter le Pontarlier anis et laisser infuser 10 min. Dans un saladier, casser les jaunes d'œufs et faire mousser avec le sucre. Verser le lait bouillant en un mince filet sur la préparation et fouetter énergiquement.
• Disposer les petits pots dans un plat creux recouvert au fond d'un papier aluminium. Retirer l'écume sur la préparation et verser dans les petits pots. Mettre de l'eau chaude dans le plat à mi-hauteur pour cuire au bain-marie 35 min à thermostat 5.
• Les crèmes doivent être fermes quand on remue le moule. Laisser refroidir au réfrigérateur avant de déguster.

Gaufres Elisa aux fraises et crème battue

Pour 4 personnes

300 g de fraises
200 g de crème fraîche
2 gousses de vanille
250 g de farine
1/2 sachet de levure
5 g de sel
20 g de sucre vanillé
75 g de beurre
3 œufs
5 dl de lait
Sucre glace pour finition

• Préparer la pâte à gaufres. Dans un grand saladier verser la farine, creuser un puits, au centre ajouter la levure, le sel, le sucre, le beurre fondu refroidi, les œufs. Délayer tout doucement en incorporant progressivement le lait. La pâte doit être lisse et fluide.
• Laisser reposer 2 h avant utilisation. Préparer les fraises. Les laver, les équeuter et les couper en quatre. Battre la crème et incorporer l'intérieur des gousses de vanille.
• Pour cela les couper en deux dans le sens de la longueur et gratter avec la pointe d'un couteau. Cuire les gaufres.
• Dresser sur des assiettes avec les fraises et une grosse cuillère de crème battue. Quel régal pour le goûter des enfants !

Gâteau au sucre

Pour 4 gâteaux de 25 cm de diamètre

Pâte

500 g de farine
6 œufs
20 g de levure
10 g de sel
5 cl d'eau
200 g de beurre ramolli
50 g de saindoux

Appareil

100 g de beurre
150 g de sucre cristallisé
4 œufs
2 cuillères à soupe d'eau de fleur d'oranger

Gâteau au sucre

• Mettre dans la cuve d'un robot équipé d'un crochet les œufs, la levure émiettée. Faire tourner à grande vitesse quelques secondes. Ajouter la farine et le sel à vitesse moyenne ainsi que l'eau.
• Lorsque la pâte se décolle de la cuve, ajouter le beurre et le saindoux. Continuer de faire tourner jusqu'à ce que la pâte se détache à nouveau. Laisser reposer environ 2 h à température ambiante. La pâte va doubler de volume.
• Ecraser la pâte et la diviser en quatre. Etendre sur des tôles en relevant les bords. En attendant que la pâte lève (30 min environ), battre légèrement les œufs avec la moitié du sucre.
• Parsemer le beurre en lichettes en faisant des petits trous dans la pâte, étaler les œufs puis le restant du sucre. Cuire 20 à 30 min à thermostat 6-7. Juste à la sortie du four, mettre une giclée d'eau de fleur d'oranger sur chaque gâteau.

Pour 6 personnes

4 œufs
125 g de sucre
80 g de farine
125 g de chocolat noir
150 g de beurre
50 g de noisettes de Pupillin

Gâteau au chocolat Léa et aux noisettes de Pupillin

• Faire fondre le chocolat et le beurre ensemble au bain-marie. Séparer les jaunes des blancs d'œufs. Travailler ensemble les jaunes et le sucre pendant 1 min. Ajouter la farine, les noisettes de Pupillin concassées.
• Battre les blancs d'œufs en neige. Mélanger le chocolat et le beurre fondu à la préparation précédente.
• Incorporer délicatement les blancs en neige. Verser l'ensemble dans un moule beurré et légèrement fariné. Enfourner 40 min à thermostat 5-6.

Glace au miel du rucher des deux lacs et pêche rôtie

Pour 6 personnes

50 cl de lait
100 g de miel de montagne
60 g de sucre
6 jaunes d'œufs
150 g de crème fleurette
3 grosses pêches
50 g de beurre
30 g de sucre
80 g de framboises

• Faire bouillir le lait avec le miel. Travailler les jaunes avec le sucre pendant 2 min. Verser le lait chaud en remuant sans cesse et le reverser tout dans la casserole.
• Faire cuire à feu moyen. Lorsque la crème nappe la cuillère ajouter la crème fleurette. Laisser refroidir au réfrigérateur. Verser ensuite cette préparation dans la sorbetière pour la faire prendre.
• Cuire les framboises avec 20 g de sucre pendant 1 min. Passer à travers une passoire fine et réserver. Couper les pêches en deux, retirer le noyau, poser dans un plat avec un peu de beurre et de sucre dans chaque cavité du noyau.
• Ajouter six cuillères à soupe d'eau au fond du plat et enfourner 25 min à thermostat 6-7. Ajouter le jus de framboise à la cuisson.
• Réduire jusqu'à obtenir la consistance d'un sirop épais. Poser une 1/2 pêche par assiette, une quenelle de glace au miel à côté, le jus de cuisson sur les pêches.

Glace au miel du rucher des deux lacs et pêche rôtie

Soupe glacée aux cerises

Pour 4 personnes

800 g de griottes
150 g de sucre semoule
50 cl de vin rouge de Charcennes
20 g de beurre
5 cl de kirsch
1 gousse de vanille
1 jus de citron
1 jus d'orange

• Laver, équeuter et dénoyauter les griottes. Verser le vin rouge dans une grande casserole, porter à ébullition et flamber.
• Ajouter 150 g de sucre semoule, la gousse de vanille, le jus de citron, le jus d'orange et cuire 6 min. Ajouter les griottes et cuire 2 min.
• Débarrasser dans un saladier de service et mettre au réfrigérateur pour le lendemain.
• Accompagner de bricelets ou de fines tranches de gâteau au sucre.

Glace à la gentiane

Glace à la gentiane

Pour 4 personnes

25 cl de lait
25 cl de crème fleurette
2 jaunes d'œufs
100 g de sucre
1,5 dl d'alcool de gentiane
Écorces de pamplemousses confites

• Faire bouillir le lait et la crème. Travailler les jaunes avec le sucre pendant 2 min. Verser la préparation chaude de lait et crème dessus en ne cessant de remuer.
• Reverser le tout dans la casserole et cuire à feu moyen jusqu'à la première ébullition. Refroidir immédiatement dans une jatte immergée dans un récipient d'eau glacée.
• Ajouter l'alcool de gentiane. Verser dans une sorbetière pour faire prendre la glace. Servir dans des verres avec une écorce de pamplemousse confite.

Granité au vin rouge de Charcennes

Pour 8 personnes

2 dl d'eau
200 g de sucre semoule
1 bouteille de vin rouge Vieilles Vignes de Charcennes
1 jus d'orange
1 jus de citron

• Dans une casserole, faire bouillir l'eau et le sucre pendant une minute. Laisser refroidir le sirop. Dès qu'il est froid verser la bouteille de vin rouge Vieilles Vignes de Charcennes, le jus d'orange et le jus de citron et fouetter.
• Transvaser la préparation dans un bac plat et mettre au congélateur. Elle va se cristalliser. Le lendemain gratter avec une fourchette pour obtenir les paillettes du granité.
• Remplir des petits verres préalablement passer au congélateur. Agrémenter de quelques zestes d'oranges confits.
• Ce granité est à servir avant le dessert et agréable à déguster avant une viande.

Glace au savagnin, caramel de morilles

Pour 8 personnes

1 bouteille d'Arbois savagnin
8 jaunes d'œufs
200 g de sucre

Caramel de morilles
50 g de morilles sèches,
50 g de sucre,
1 dl d'eau

• Faire tremper les morilles et les nettoyer dans plusieurs eaux. Les couper en quatre dans le sens de la longueur.
• Cuire dans une petite casserole avec 1 dl d'eau et réserver au chaud. Chauffer les 75 cl de savagnin. Travailler les jaunes avec le sucre pendant 2 min puis verser le savagnin chaud dessus.
• Reverser le tout dans la casserole et faire cuire tout en remuant jusqu'à la première ébullition. Verser immédiatement dans une jatte et refroidir dans un récipient d'eau glacée.
• Verser le contenu dans la sorbetière pour faire prendre la glace. Dans une petite casserole faire un caramel avec 50 g de sucre. Quand il a une belle couleur caramel, décuire avec l'eau chaude des morilles.
• Dans chaque assiette, poser une grosse boule de glace au savagnin, quelques morilles et napper avec le caramel de morilles.

Sorbet à la rhubarbe

Pour 4 personnes

500 g de tiges de rhubarbe
250 g de sucre

• Eplucher les tiges de rhubarbe en tirant sur la pellicule fine de peau. Couper en morceaux et mettre dans une casserole avec 1 dl d'eau.
• Cuire sur feu moyen à couvert 4 min. Passer dans le bol d'un mixer muni d'un couteau. Ajouter le sucre et goûter. Remettre du sucre si nécessaire. Verser dans la sorbetière pour faire prendre le sorbet.
• Servir dans des verres avec des fines lamelles de rhubarbe sucrées.

Tarte au goumeau

Pour 8 personnes

350 g de pâte brisée

Goumeau
50 cl de lait
20 cl de crème
4 œufs
100 g de sucre
5 cl de rhum
30 g de sucre

• Après avoir étalé la pâte, préparer le goumeau en mélangeant les œufs battus, le sucre, le lait et la crème.
• Verser sur le fond de la tarte. Enfourner 20 à 30 min à thermostat 7. A la sortie du four saupoudrer avec les 30 g de sucre et arroser de rhum. Flamber.

Tarte au goumeau

Sorbet à la rhubarbe

Grosse meringue de chez Chapouilly

Souvenir de gamin quand j'allais avec mon père au laboratoire, je voyais toujours d'énormes meringues sur un rayon.

Pour 10 meringues

250 g de blancs d'œufs
500 g de sucre en poudre
Un peu d'huile

• Dans la cuve d'un batteur, mettre les blancs d'œufs et fouetter à vitesse moyenne. Dès qu'ils commencent à mousser augmenter la vitesse. Quand les blancs ont doublé de volume, verser la moitié du sucre en pluie fine et continuer de fouetter. Ils vont devenir très lisses, ajouter le restant du sucre.
• Sur des plaques antiadhésives légèrement huilées, former dix énormes quenelles de meringue à l'aide d'une corne à pâtisserie ou de deux grosses cuillères.
• Déposer sur les plaques sans que les meringues se touchent. Enfourner à thermostat 4 pendant 1 h 30 et ensuite à thermostat 3 pendant 1 h. Laisser sécher les meringues dans le four éteint avec la porte entrouverte au moins 6 h.
• Accompagner de glace, déguster de grosses meringues natures ou fourrées de crème Chantilly, c'est simple et délicieux.

Pour 8 personnes

300 g de fraises de Recologne bichonnées par la famille Mullin

Bricelets

75 g de farine
40 g de sucre
1 petite pincée de sel
5 cl de crème fleurette
5 cl d'eau

Glace à la vanille

6 jaunes d'œufs
150 g de sucre
50 cl de lait
100 g de crème fleurette
3 gousses de vanille

Bricelets aux fraises de Recologne fourrés de glace à la vanille

• Préparer les bricelets. Dans une jatte, verser la farine, le sucre et le sel. Incorporer la crème et l'eau en remuant sans cesse. Laisser reposer 2 h.
• Chauffer l'appareil à bricelets. Etaler au centre une cuillère à café de préparation. Quand le bricelet est cuit et a une belle couleur dorée, lui donner la forme d'un cornet sur un moule en bois ou tout autre ustensile adapté. Réserver les bricelets dans une boîte à biscuits en métal.
• Préparer la glace. Chauffer le lait et infuser les gousses de vanille coupées en deux pendant 15 min. Travailler les jaunes avec le sucre pendant 2 min. Verser le lait infusé dessus en fouettant énergiquement.
• Reverser le tout dans la casserole et cuire à feu moyen en remuant sans cesse. Lorsque la crème nappe la cuillère, ajouter la crème fleurette. Débarrasser dans un récipient pour laisser refroidir. Verser dans la sorbetière pour faire prendre la glace. Réserver au congélateur.
• Equeuter et laver les fraises. Couper simplement en deux. Disposer les fraises sur le bord des assiettes. A l'aide d'une cuillère, fourrer le bricelet de glace et poser sur les fraises, agrémenter de feuilles de menthe fraîche. Quelle fraîcheur et quel bon souvenir d'enfance !

Bricelets aux fraises de Recologne fourrés de glace à la vanille

Soupe glacée de pamplemousses parfum de gentiane

SOUPE GLACÉE DE PAMPLEMOUSSES PARFUM DE GENTIANE

- Laver et essuyer les pamplemousses. Peler à vif en réservant l'écorce. Détacher les quartiers de pamplemousses en glissant la lame d'un couteau entre les peaux. Réserver.
- Blanchir les écorces de pamplemousses en démarrant à l'eau froide. Porter à ébullition, égoutter et renouveler l'opération deux fois. Ajouter 200 g de sucre et recouvrir d'eau, porter à ébullition, cuire 2 min et laisser refroidir.
- Renouveler l'opération jusqu'à ce que les écorces soient translucides (opération qui demande assez de temps). Dans les assiettes froides, faire une rosace avec les quartiers de pamplemousses et arroser de liqueur de gentiane.
- Couper de fines lamelles d'écorces confites et poser sur les quartiers. On peut éventuellement accompagner d'une glace à la gentiane. Ce dessert apporte beaucoup d'amertume, mais il est très rafraîchissant et digestif.

Pour 4 personnes

4 PAMPLEMOUSSES
1 DL DE LIQUEUR DE GENTIANE
200 G DE SUCRE

Bricelets

Bricelets

Pour 1 gros plat

125 g de farine
75 g de sucre
1 pincée de sel
1 dl de crème fraîche
1 dl d'eau

• Dans un saladier verser la farine, le sucre et le sel. Incorporer la crème et l'eau en remuant sans cesse. Laisser reposer. On peut préparer cette recette la veille.
• Chauffer l'appareil à bricelets, étaler au centre une cuillère à café d'appareil.
• Quand le bricelet est cuit à souhait, lui donner la forme que vous souhaitez, rouleau, cornet.

Pommes de Nans-sous-Sainte-Anne au four et sorbet au coing

Pommes de Nans-sous-Sainte-Anne au four et sorbet au coing

Pour 8 personnes

8 pommes de Nans-sous-Sainte-Anne
50 g de beurre
500 g de coing
300 g de sucre
1 jus de citron

• Préparer le sorbet. Laver, éplucher et couper les coings en gros cubes. Les mettre dans une casserole et recouvrir d'eau froide. Cuire 25 min environ à couvert.
• Lorsque les morceaux s'écrasent bien, passer l'ensemble au moulin à légumes. Ajouter le jus de citron et 250 g de sucre. Verser dans la sorbetière pour faire prendre le sorbet. Laver les pommes. A l'aide d'un économe, creuser un trou assez profond afin de retirer la queue et une partie des pépins.
• Disposer les pommes dans un plat en porcelaine allant au four, ajouter six cuillères à soupe d'eau. Garnir le creux des pommes d'une noisette de beurre et d'une cuillère à café de sucre.
• Enfourner 25 min à thermostat 6. A la sortie du four, servir les pommes chaudes avec le sorbet au coing. Accompagner d'un verre de vin de paille.

Tarte aux myrtilles de Frasne

Pour 4 personnes

600 g de myrtilles
60 g de sucre
250 g de pâte feuilletée
1 jaune d'œuf

• Etaler la pâte feuilletée sur un plan de travail légèrement fariné, d'une épaisseur de 3 mm. Découper quatre cercles de 15 cm de diamètre. Piquer les fonds de tarte en laissant une bordure de 1,5 cm.
• Mélanger le jaune d'œuf avec une cuillère à soupe d'eau. Passer cette dorure sur le bord des tartes à l'aide d'un pinceau. Enfourner 20 min à thermostat 6-7.
• Laver les myrtilles. Dans une casserole cuire pendant 5 min 250 g de myrtilles avec 50 g de sucre. Passer au chinois fin. Laisser refroidir.
• Mélanger les myrtilles fraîches au jus sucré de myrtilles cuites. Garnir les fonds de tarte et servir.

Tarte à la rhubarbe

Pour 8 personnes

Pâte
250 g de farine
125 g de beurre
1 pincée de sel
40 g de sucre
5 cl d'eau

500 g de tiges de rhubarbe
40 g de beurre
60 g de sucre cassonade

• Préparer la pâte en mélangeant tous les ingrédients, sans trop la travailler. Laisser reposer avant d'étaler la pâte et de garnir la tôle à tarte. Eplucher les tiges de rhubarbe en retirant la première pellicule.
• Couper en tronçons de 3 cm, les ranger à la verticale sur le fond de la tarte. Enfourner à thermostat 7. Les tiges de rhubarbe ne vont pas rendre de jus. Ce qui va permettre à la pâte de cuire.
• Au bout de 15 min ressortir la tarte et parsemer de lichettes de beurre et des deux tiers du sucre cassonade.
• Enfourner à nouveau 20 min. S'assurer de la cuisson en contrôlant que le dessous de la tarte se détache du moule et obtenir le dessus de la rhubarbe bien caramélisé. Servir tiède accompagnée d'un sorbet à la fraise.

Flan au thym citron

Pour 4 personnes

50 cl de lait
3 œufs
180 g de sucre
1 bouquet de thym citron

• Préparer un caramel blond avec 80 g de sucre. Verser dans le fond de quatre moules individuels sur une épaisseur de 1 mm.
• Chauffer le lait et faire infuser le thym citron. Battre les œufs avec 100 g de sucre. Verser le lait chaud infusé dessus en remuant énergiquement. Passer la crème au chinois. Verser l'appareil dans les moules et cuire au bain-marie pendant 40 min à thermostat 5.
• Servir tiède et démouler sur des assiettes en parsemant quelques fleurs de thym citron. Accompagner d'une poêlée de fruits frais.

Vacherin glacé comme à Saint-Claude

Pour 10 personnes

600 g de grosse meringue
50 cl de glace à la vanille
50 cl de sorbet à la fraise
50 cl de crème
60 g de sucre

• Sur un plat rond écraser les grosses meringues. En trois couches intercaler les meringues, la glace et le sorbet.
• Monter la crème en chantilly et recouvrir le vacherin à l'aide d'une poche à douille. Servir aussitôt. On peut également le réserver au congélateur quelques instants.

Tarte aux myrtilles de Frasne

Bavaroise au tilleul, baies de sureau noir au sucre

BAVAROISE AU TILLEUL, BAIES DE SUREAU NOIR AU SUCRE

Pour 8 personnes

50 CL DE LAIT
50 CL D'EAU
5 JAUNES
120 G DE SUCRE SEMOULE
5 FEUILLES DE GÉLATINE
50 CL DE CRÈME FLEURETTE
TILLEUL
200 G DE BAIES DE SUREAU NOIR
50 G DE SUCRE

- Tremper les feuilles de gélatine à l'eau froide. Chauffer le lait et l'eau, infuser le tilleul pendant 5 min. Travailler les jaunes d'œufs avec le sucre pendant 1 min. Verser dessus le lait infusé en retirant les feuilles de tilleul.
- Reverser dans la casserole et cuire à feu moyen. Lorsque la crème nappe la cuillère, retirer du feu. Egoutter et presser les feuilles de gélatine, les ajouter à la crème et remuer soigneusement.
- Il faut s'assurer que la gélatine soit parfaitement dissoute. Laisser refroidir doucement. Remuer fréquemment pendant le refroidissement. Fouetter la crème fleurette et l'incorporer délicatement à la bavaroise.
- Verser la bavaroise dans des cercles en inox de 8 cm de diamètre sur 5 cm de haut posés sur une feuille de papier sulfurisé. Faire prendre au réfrigérateur.
- Dans une casserole sur feu vif, mettre les baies de sureau et le sucre qui va se cristalliser autour des baies.
- Démouler les bavaroises sur les assiettes. Déposer les baies de sureau autour.

Clafoutis aux cerises de Fougerolles

Pour 8 personnes

600 g de cerises
3 gros œufs,
150 g de sucre
60 g de farine
1 pincée de sel
15 cl de crème
20 cl de lait
1 cuillère à soupe de kirsch

• Dans une jatte, mixer ensemble les œufs, le sucre, la pincée de sel. Ajouter la farine et délayer avec le lait et la crème puis le kirsch.
• Laisser reposer cet appareil 30 min avant cuisson. Laver, essuyer et équeuter les cerises. Répartir dans un plat à clafoutis en porcelaine préalablement beurré et légèrement sucré.
• Verser l'appareil sur les cerises et enfourner à thermostat 7 pendant 20 min puis à thermostat 5 pendant encore 20 min. En fin de cuisson, vous pouvez parsemer de sucre et de quelques noisettes de beurre pour que le clafoutis prenne une belle couleur doré.
• Je vous conseille de le servir tiède, mais alors en prévoir deux, surtout si vous le servez pour le goûter.

Clafoutis aux cerises de Fougerolles

Madeleines au miel de sapin

Pour 24 pièces

200 G DE FARINE
6 G DE LEVURE
180 G DE SUCRE
1 GROSSE CUILLÈRE À SOUPE DE MIEL DE SAPIN
4 ŒUFS
200 G DE BEURRE FONDU
30 G DE BEURRE MOU POUR LES MOULES

MADELEINES AU MIEL DE SAPIN

• Mélanger la farine et la levure. Faire fondre le beurre et laisser refroidir. Fouetter pendant 5 min les œufs, le sucre et le miel pour faire mousser. Ajouter à cette préparation la farine et le beurre fondu sans cesser de tourner la pâte avec un fouet.
• Laisser reposer l'appareil au froid pendant 1 h avant cuisson. Déposer dans le creux des moules à madeleines une cuillère à soupe de pâte et mettre à cuire aussitôt à thermostat 5-6 pendant 9 min.
• Cette recette est agréable à réaliser avec des enfants mais ne pas oublier alors de doubler les proportions. Bonne dégustation !

SERRA CARAMÉLISÉ À LA CASSONADE SUR UNE POÊLÉE DE RHUBARBE ET SORBET FRAISE

Pour 4 personnes

200 G DE SERRA FRAIS
2 GROSSES TIGES DE RHUBARBE
3 CUILLÈRES À SOUPE DE SUCRE SEMOULE
3 CUILLÈRES À SOUPE DE SUCRE CASSONADE,
100 G DE BEURRE
THYM CITRON
300 G DE FRAISES

• Préparer le sorbet, mixer les fraises, ajouter le sucre semoule selon votre goût et turbiner (verser dans la sorbetière pour faire prendre le sorbet). Réserver.
• Eplucher la rhubarbe en retirant la fine pellicule de peau, couper en rondelles épaisses. Couper le Serra en morceaux. Poêler la rhubarbe avec un peu de beurre fondu et de sucre semoule, laisser caraméliser légèrement.
• Poêler le Serra avec un peu de beurre fondu et de sucre cassonade, laisser caraméliser légèrement.
• Dresser la rhubarbe en rosace dans l'assiette, avec au centre le Serra. Sur le tour de l'assiette, ajouter le thym citron et deux boules de sorbet fraise.

Serra caramélisé à la cassonade sur une poêlée de rhubarbe et sorbet fraise

Pets-de-nonne de Baume-les-Dames aux graines de sésame

1/8 de litre lait
1/8 de litre d'eau
50 g de beurre
5 g de sucre
150 g de farine
1 pincée de sel
4 œufs
20 g de graines de sésame grillées
Sucre semoule pour la finition

• Dans une casserole verser le lait, l'eau, le beurre, le sel et le sucre. Porter à ébullition puis verser la farine d'un seul coup. Tourner énergiquement à l'aide d'une spatule en bois. Lorsque la pâte se décolle des parois de la casserole, continuer à tourner pendant 2 min pour la dessécher. Verser dans une jatte.
• Ajouter les œufs un à un et continuer de la travailler avec la spatule en bois. Ajouter les graines de sésame. Chauffer un bain d'huile pour la friture. A l'aide de deux petites cuillères, jeter des boules de pâte dans la friture. Les pets remontent à la surface tout seul.
• Lorsqu'ils sont dorés, les retourner. Egoutter sur un papier absorbant. Saupoudrer de sucre semoule. Servir chaud et éventuellement fourrer les pets-de-nonne de confiture maison.

Beignets de carnaval

450 g de farine
3 œufs
1 pincée de sel
20 g de sucre
60 g de beurre fondu
60 g de saindoux
2 cuillères à soupe de rhum
Sucre semoule ou glace pour finition

• Pétrir la farine, les œufs, le sucre, la pincée de sel, le beurre fondu, le saindoux et le rhum jusqu'à l'obtention d'une pâte homogène. Sur un plan de travail légèrement fariné, étaler la pâte extrêmement fine.
• A l'aide d'une petite roulette, découper des losanges, des rectangles, des carrés, etc. Dans une casserole, faire chauffer de l'huile d'arachide ou de tournesol. Frire les beignets par quatre ou cinq dans le bain d'huile chaude.
• Egoutter sur un papier absorbant et sucrer immédiatement.

Beignets de carnaval

Table des Matières

TABLE DES MATIÈRES

Remerciements

A René Gast qui m'a permis d'écrire ce livre,
A Didier Benaouda pour son excellente collaboration,
A mes fournisseurs et mes amis, ils sauront se reconnaître,
A l'équipe du Bon Accueil pour la patience et la bonne humeur de chacun,
A Michel André, Henri Seguin, Jacques Lameloise, Pierre Gagnaire et Georges Blanc qui m'ont formé,
A tous ceux qui m'ont encouragé.

Imprimé en France par Pollina S.A. à Luçon (85) - n° L96129
I.S.B.N. 2.7373.2725.3 - N° d'éditeur : 4101.03.03.02.05
Dépôt légal : avril 2001